LEKKER GRIEZELEN

Lekker griezelen

De spannendste verhalen
Met illustraties van Natascha Stenvert

Inge de Bie * Annemarie Bon * Stefan Boonen *
Marianne Busser & Ron Schröder * Pieter Feller *
Annie van Gansewinkel * Loes Hazelaar * Mieke van Hooft *
Tosca Menten * Mirjam Mous * Bart Römer

the house of books

Copyright © 2010 The House of Books, Vianen/Antwerpen
Copyright illustraties © 2010 Natascha Stenvert

Vormgeving omslag en binnenwerk: Marieke Oele

ISBN 978 90 443 2582 9
NUR 280
D/2010/8899/24

www.thehouseofbooks.com

INHOUD

Mieke van Hooft

ENGE GELUIDEN IN DE NACHT

Jantine wordt wakker. Terwijl ze in het donker van haar kamer staart, weet ze dat ze naar heeft gedroomd. Gek... waar de droom over ging, kan ze zich niet meer herinneren.

Ze knipt haar lampje aan en kijkt naar de knuffels op de kast. De oogjes van het witte haasje glimmen. Het is net alsof hij glimlacht. Brom de oude beer houdt één pootje rechtop. Hij zwaait. Hij zwaait alle akelige dromen weg.

Jantine stapt rillend haar bed uit. Ze pakt het witte haasje van de kast en drukt haar wang tegen zijn pluizige buik. Dan pakt ze Brom. Haar blik glijdt over alle andere knuffels. Ze pakt er nog een: Sjing. Zijn lijf

is roze als een zuurstok en zo lang dat ze hem als een sjaal om haar hals kan slaan.

Met de drie knuffels stapt ze terug in bed. Als ze haar dekbed weer tot haar kin heeft opgetrokken, doet ze haar lampje uit en stopt haar neus in Broms nek. Ze doet haar ogen dicht, maar de slaap is verdwenen. Ze knipt haar lampje weer aan – tien voor drie – en weer uit. Mopperend stompt ze in haar kussen. Zo meteen moet ze nog plassen ook. Dat is wel het laatste waar ze zin in heeft: die lange donkere trap af.

Ze trekt haar knieën op en duwt Sjing nog wat dichter tegen zich aan. Bij de buren slaat de klok. Jantine weet dat er drie slagen moeten komen. Toch telt ze: een, twee, drie. Drie uur en klaarwakker. Zuchtend doet ze het licht weer aan. Ze gooit het dekbed van zich af en stapt in haar hondensloffen. Op de muur langs de trap ziet ze haar eigen schaduw, levensgroot. De staande kapstok beneden hangt vol jassen, zodat het lijkt of een groepje mannen in een hoekje met elkaar staat te fluisteren.

Ze laat de wc-deur wijd open staan, doet snel een plas en blijft onafgebroken naar het groepje griezels kijken. Zo vlug mogelijk trekt ze haar pyjamabroek omhoog. Ze is net klaar als ze een raar geluid hoort. Bevend schiet ze de wc uit en duwt de deur achter zich dicht. Ze haast zich langs het enge hoekje met de kapstok, vliegt met twee treden tegelijk de trap op en duikt in bed. Met Brom, Sjing en het haasje tegen zich aan staart ze met wijd open ogen naar het plafond. Wat wás dat voor geluid?

Het kwam uit de wc-pot. Ze weet het zeker. Het was een klotsend geluid alsof er iets... iets... in rondzwom?

Haar adem stokt. Kan het zijn dat er een beest in de wc zit? Ze drukt haar hand tegen haar mond en komt overeind. De wc-deur... heeft ze die wel goed dichtgedaan? Stel dat het beest eruit komt. Stel dat het de trap opkomt...

Ze schopt het dekbed van zich af. Twee tellen later staat ze in de slaapkamer van haar moeder. Ze doet het licht aan.

'Mam! Mama!'

Haar moeder slaapt diep. Haar mond staat een beetje open en ze maakt kleine pufgeluidjes.

Jantine schudt haar door elkaar. 'Mam! Word nou toch wakker! Er zit een eng beest in de wc!'

Traag opent mam haar ogen. 'Wat is er Jantine? Kun je niet slapen?'

Jantine ratelt haar verhaal af. 'Kom nou, mam! Je moet gaan kijken! Toe nou!'

Maar mama voelt er weinig voor haar warme plekje te verlaten. 'Je zult het wel gedroomd hebben,' mompelt ze. Haar hand klopt op het kussen naast het hare. 'Kom hier maar liggen.'

'Ja maar... misschien heb ik de wc-deur niet goed dichtgedaan. Dadelijk komt dat beest nog de trap op!'

'Dan doe je de slaapkamerdeur maar goed dicht!' Mama draait zich om. 'En laat me nu slapen!'

Jantine voelt tranen in haar ogen komen. Durft ze nog wel terug te gaan naar haar eigen kamer? Ze haalt diep adem. Het bloemetjes-kussen in mama's bed lokt. Met grote sprongen rent ze de overloop over, haalt Brom, Sjing en het haasje uit haar slaapkamer en valt bijna bovenop haar moeder als ze naast haar het bed inspringt.

De slaapkamerdeur heeft ze goed gesloten.

Mama gaapt. 'Ga nu maar lekker slapen. Morgen moet je weer naar school.'

Jantine knikt stilletjes.

Ze slaapt bijna en schrikt als mama ineens het licht aandoet.

'Wat is er?'

Mama zucht. 'Wat denk je. Ik moet naar de wc.'

Jantine zit meteen rechtop. 'Ik ga mee!'

'Ach Jantine...!'

'Mam, ik moet zien wat er in de wc zit!'

'Dan moet je het zelf maar weten.'

Mam schiet in haar kamerjas en Jantine grist Brom mee. Achter elkaar dalen ze de trap af.

Het eerste wat Jantine ziet als ze beneden komt, is dat de wc-deur dicht is. Gelukkig! Het beest kan dus niet ontsnapt zijn! Toch blijft ze nu maar liever op de onderste traptree staan.

Mama loopt resoluut naar de wc. Voordat ze naar binnen gaat, kijkt ze even om.

'Bel de politie als ik word opgevreten,' zegt ze lachend. Dan opent ze de deur.

Jantine hoort het klikje van de lichtknop. Meteen daarna klinkt er een gil. Mam stuift de wc uit en smijt de deur dicht. Jantine vlucht vijf treden hoger.

'Mama! Mama!'

'Jantine!'

'Mama!'

Mama drukt haar rug tegen de deur en hapt een paar keer naar adem.

'Er zit een... een...'

'Wát, mama? Wát?' Jantine knijpt hard in Broms arm.

Mama wrijft het haar uit haar gezicht. 'Ik zou niet weten wat het is. Een soort reuzenpad. Ik heb nog nooit zoiets gezien. Jakkes!' Ze huivert.

'Moet ik de politie bellen?' vraagt Jantine.

Mama denkt even na. 'Nee, dat lijkt me niet. En zeker nu niet, het is midden in de nacht. Laten we maar gewoon naar bed gaan. Morgenvroeg zien we wel weer.'

'En als hij eruit komt?'

'Denk je dat hij de deur kan openmaken?'

Jantines tanden klapperen. 'Laten we dan iets voor de deur schuiven. Een stoel. Of een tafel.'

Haar moeder knikt. 'Goed.'

Samen halen ze een zware leunstoel uit de huiskamer en schuiven die voor de wc-deur.

'Zo,' zegt mama. 'Een knappe kop die hem open krijgt.' Ze slaat een arm om Jantine heen. 'Kom lieverd, nu naar bed. Je ziet wit van de slaap.'

'Je moest toch plassen?'

'Ik haal de kampeeremmer wel even van zolder. Vooruit, kruip jij alvast in bed.'

Het duurt lang voordat ze weer in slaap vallen.

De volgende ochtend wordt Jantine wakker van het gekletter van douchewater. Meteen herinnert ze zich weer wat er deze nacht is gebeurd.

Mama komt binnen in een wolk van seringenzeep. 'Goedemorgen. Lekker geslapen?' Haar handdoek is als een tulband om haar hoofd geknoopt.

Jantine komt overeind. 'Mam, ben je al beneden geweest?'

Haar moeder schudt haar hoofd terwijl ze een schone spijkerbroek uit de kast pakt.

'Nee, hoezo?'

'Hè mam!' Jantine kijkt haar geërgerd aan. 'Dat beest in de wc natuurlijk!'

'Beest?'

'Mam, doe niet alsof je van niks weet. Die reuzenpad die vannacht in de wc zat!'

'Een reuzenpad?'

Nu snapt Jantine er helemaal niks meer van. 'Mama! Doe niet zo raar! Een eng beest! We hebben de leunstoel nog wel voor de deur gezet!'

Haar moeder kijkt alsof Jantine iets ontzettend stoms heeft gezegd.

Gealarmeerd glijdt Jantine het bed uit. Ze rent de trap af. In het halletje is geen leunstoel te zien. Aarzelend loopt ze verder totdat ze voor de deur staat. Ze legt haar hand op de klink. Langzaam duwt ze hem naar beneden. Durft ze?...

Ze haalt diep adem en opent de deur.

Is er iets te zien?

Er is niets te zien.

Ze gaat verder naar binnen en kijkt rond. Niets bijzonders.

Mama is haar achterna gekomen. 'Wat is er nu allemaal, Jantine? Ik snap niet waar je het over hebt.'

Jantine haalt haar schouders op. 'Ik weet niet... Ik snap er niks van. Misschien heb ik het toch gedroomd.'

Mam trekt haar mee. 'Kom, ik zet een lekker potje thee. Zal ik een eitje voor je koken?'

Jantine knikt en sluit de wc-deur. Ze wrijft in haar ogen. Zoiets raars heeft ze nog nooit meegemaakt. Ze zou zweren dat het echt was, vannacht.

Ze loopt achter haar moeder aan naar de keuken.

Jammer dat ze niet een tel langer is gebleven... Dan had ze dat rare geluid weer gehoord dat uit de toiletpot kwam. En wie weet, had ze dan ook dat vreemde spoor gezien in het hoekje bij de wc-borstel. Een lichtgroen, slijmerig spoor...

Annemarie Bon

DE KINDERLOKKER

'Maham, ik ben moehoe. We hebben al zóveel gewinkeld. Mag ik nu dan eindelijk een ijsje?' Lotje pakt haar moeders hand en trekt er eens flink aan. 'Daar hebben ze lekker Italiaans ijs. Kijk.'

Lotje en haar ouders zijn nog maar kort geleden verhuisd. Vandaag is ze met mama in de stad om spulletjes te kopen voor het nieuwe huis. Er is nog heel veel wat ze nodig hebben. Mama heeft twee lange boodschappenlijsten volgeschreven. Lotje mag ook wat uitzoeken voor haar nieuwe slaapkamer.

'Een ijsje?' hoort Lotje dan een stem zeggen die ze nog nooit gehoord heeft en die zeker niet van haar moeder is. Alsof ze haar hand gebrand heeft, zo snel trekt ze hem terug en kijkt omhoog naar wie dat zei. Twee grote ogen vanachter een bril met jampotglazen in een mannenhoofd kijken haar aan.

'Ik ben je mam niet,' gaat de stem verder. 'Ik ben niet eens een vrouw, haha, dus ik kan helemaal geen mam zijn, maar zo'n lief meisje als jij wil ik best een ijsje geven.'

Lotje doet een stap terug. Ze kijkt in het rond. 'Mam? Mam! Mama!'

Het lijkt alsof Lotje ter plekke bevriest, niet in een lekker romig Italiaans ijsje, maar in een keihard ijsstandbeeld. Waar is haar moeder? Net bij de Bijenkorf liepen ze nog naast elkaar. Dat weet ze zeker. Hoewel, die brillenman heeft net zo'n soort beige regenjas als haar moeder. Zou ze de hele tijd al naast hem gelopen hebben?

'Mam? Mam! Mama!'

De man buigt zich naar Lotje toe. 'Maar vertel eens, ben je soms je moeder kwijt?'

Ja, wat denkt dat type? Ze is niet gek. Dat gaat ze die engerd echt niet aan zijn neus hangen. Ze moet gewoon maken dat ze wegkomt. Misschien is hij wel een kinderlokker.

Lotje draait zich om en rent tussen de mensen op het voetgangersgebied door in de richting van de Bijenkorf. Daar loopt mama haar vast te zoeken. Ze herkent het postkantoor en de Hema. Ze loopt goed.

Haar hart bonkt. Waarom is mama haar nou kwijtgeraakt? Dat dóét een moeder niet! Die hoort haar kind in de gaten te houden.

Voorzichtig kijkt Lotje even achterom of de man is doorgelopen. Dan gaat haar hart dubbel zo hard tekeer. Die griezel komt achter haar aan en hij heeft haar gezien!

'Kom eens hier,' roept hij. 'Niet bang zijn, ik doe je niets.'

Hoe raakt ze die man kwijt? Ze kent hier helemaal de weg niet. Waar is mama toch?

Aan haar rechterkant ziet Lotje de Bijenkorf. Ze schiet door de draaideur naar binnen op zoek naar de eerste de beste verstopplek. Ze is op de herenafdeling terechtgekomen. Op haar hurken vanachter een rek overhemden en jacks gluurt ze naar de draaideur. Ze heeft wel eens gelezen in een spionageboek dat je laag bij de grond minder opvalt.

Lotje telt in zichzelf af. Een, twee, drie, vier... als ze bij tien is, komt hij niet meer... vijf, zes, zeven, acht... Nee, hè? Daar heb je hem weer! Met die idiote bril valt hij onmiddellijk op. Zou hij die dikke verrekijkerglazen hebben om extra goed kinderen te kunnen opsporen?

De kinderlokker kijkt in het rond en loopt dan langzaam richting Lotje. Dadelijk vindt hij haar nog. Ze kan bijna niet ademhalen, zo is haar keel dichtgeklemd. Waar is mama toch? Zou ze haar niet zoeken of de politie waarschuwen?

Lotje kijkt in het rond op zoek naar een vluchtweg.

De schoenenrekken! Daar kun je niet doorheen kijken. Lotje wacht tot de man een andere kant op kijkt. Ja, nu. Zacht, maar snel als een haas, schiet ze achter de schoenenwand. Had ze haar mobieltje maar meegenomen, dan had ze nu mama kunnen bellen. Dat zal ze dus nóóit meer thuis laten liggen.

Weer kijkt ze voorzichtig om de hoek. Ah, die man zoekt haar nog altijd.

Dan laat Lotje een zucht ontsnappen. Hij loopt van haar vandaan richting de roltrap in het midden van het warenhuis. Even later stapt hij op de roltrap. Toch kijkt hij nog steeds om zich heen, terwijl hij hoger en hoger gaat.

En dan gebeurt het.

Vanaf zijn hoge positie op de roltrap kan de man alles op de benedenverdieping goed overzien, ook de ruimte achter de schoenenrekken. En ineens kijkt Lotje de man recht in zijn grote brillenogen.

'Wacht!' roept hij. 'Ik wil je helpen!' Hij draait zich om en rent snel verder de roltrap op. Om aan de andere kant terug te gaan, naar beneden, naar haar, bedenkt Lotje. Nou, daar gaat zij dus niet op wachten.

Wat nu?

Ze kijkt weer om zich heen. Dat ze díé niet eerder opgemerkt heeft! De kassa! De kassa is in deze winkel een soort ronde toonbank met een klaphekje om erin te komen.

Er zijn geen caissières. En het licht erboven met de letters 'kassa' is uit. Een ideale schuilplaats!

Er zit maar één ding op om te ontsnappen aan die griezel. Zo laag gebogen als ze maar kan, loopt Lotje snel naar de kassa, kruipt onder het klapdeurtje door en verstopt zich onder de toonbank. Ze gaat zit-

ten met aan de linkerkant naast zich een prullenbak en een doos met plastic hangertjes en aan de rechterkant een doos vol met rollen plakband, stickers, kassarollen en pennen. Op de grond ziet ze ook een bak vol met beveiligingsklemmen van kleding en net onder de kassa een vreemde rode knop.

Wat zou dat voor knop zijn? Lotje buigt zich voorover. *Push in case of emergency*. Wat betekent dat? Misschien is het wel een alarmknop, net als ze bij een bank hebben voor overvallers. Ja, dat moet het wel zijn, hier gaat het immers ook om geld.

De knop geeft Lotje een veilig gevoel. En trouwens, die man komt haar hier heus niet zoeken. Die denkt vast dat ze de winkel uitgerend is. Toch...?

Ze hoort een geluid boven zich. Er staat iemand bij de kassa.

'Meisje, ben je hier?' De stem klinkt niet echt eng, best vriendelijk, maar zo zijn kinderlokkers. Die weten precies hoe ze aardig en betrouwbaar over moeten komen. Anders lukt het ze nooit om kinderen mee te krijgen. Lotje hoef je niks wijs te maken.

'Meisje? Ik weet dat je hier bent en dat je je moeder bent kwijtgeraakt.'

Lotje hoeft niet na te denken. In een flits drukt ze de rode knop in. Meteen beginnen de verlichte kassaletters als een zwaailicht op een brandweerwagen te seinen.

Stil blijft Lotje zitten waar ze zit met haar oren op scherp. Ze kruipt alleen nog een beetje verder onder de toonbank tussen de dozen.

'Wat moet dat hier?' klinkt een barse mannenstem. 'De kassa beroven? Ik dacht het niet. Komt u maar eens met me mee.'

'Nee, u vergist zich,' hoort Lotje de kinderlokker zeggen. Zijn stem

klinkt een beetje paniekerig. 'Ik probeer een meisje te helpen.'

'Ja, ja,' zegt de barse stem weer. 'Altijd smoesjes. Nooit hebben ze iets gedaan. Kijk, daar is mijn collega ook. U houdt uw mond en gaat rustig met ons mee naar de personeelsruimte. De politie is al gewaarschuwd. Als u nu heibel gaat trappen, wordt uw situatie er niet beter op.'

Het knipperlicht is uit en langzaam sterven de stemmen en de voetstappen weg, maar Lotje voelt zich nog te veel een drilpudding om te durven opstaan. Haar slappe benen kunnen haar niet eens dragen. Langzaamaan durft ze weer rustig adem te halen. Ze blaast flink uit. Zo, van die enge man is ze mooi af. Hij wilde natuurlijk geen kassa beroven, maar kinderen lokken is nog veel erger. Hij heeft zijn verdiende loon.

Wat een avontuur. Nu moet ze alleen mama nog zien te vinden.

Lotje trekt denkrimpels. Wat moet ze doen zonder mobiel? Dan lacht ze. Ze gaat naar het postkantoor dat hier vlakbij is en daar belt ze dan naar papa. Kan hij mama bellen. Opgelucht kruipt Lotje weer onder het klapdeurtje vandaan en gaat rechtop staan.

'Attentie, hier volgt een mededeling,' klinkt het door de luidsprekers in de winkel. 'Wil Lotje de Zwart zich melden bij de informatiebalie op de eerste verdieping?'

Nou ja, Lotje wordt bijna boos. Houdt die man dan nooit op? Ze zet een sprintje naar de buitendeur in.

Weer klinkt de omroepstem. 'Wil Lotje de Zwart zich melden...'

Ineens blijft Lotje stokstijf staan. Hoe weet die man haar naam? Waarom heeft ze niet beter naar het omroepbericht geluisterd?

'Attentie,' klinkt het dan gelukkig nog een keertje. 'De moeder van Lotje de Zwart wacht bij de informatiebalie op de eerste verdieping. Hier is ze.'

Dan klinkt er een andere stem, een heel bekende stem, de liefste stem van de hele wereld.

'Lotje, je hoeft nergens bang voor te zijn. Kom snel, alsjeblieft.'

Even later vliegt Lotje haar moeder in de armen en krijgt ze de ene natte smakzoen na de andere.

'Mama,' zegt Lotje, 'er was zo'n enge man...'

'Nee, schatje,' zegt mama dan, 'die meneer wilde je echt helpen. Hij had gezien dat je liep te zoeken. Toen hij opgepakt was, kwam ik juist vragen of ze mijn dochter gezien hadden. We zijn elkaar bij de ingang van de Bijenkorf kwijtgeraakt. Door die oplettende meneer wisten we dat je hier was.'

'Mam,' fluistert Lotje dan, 'hoef ik alsjeblieft niet sorry tegen die man te zeggen? Ik vind hem nog steeds eng!'

Marianne Busser
& Ron Schröder

DE GRIEZELSCHOOL

Op de griezelschool gebeuren enge dingen
er zitten elke dag twee enge monsters op het hek
en je krijgt wanneer je 's morgens in de klas komt
van de juf meteen twee spinnen in je nek.

Soms wordt het donker – zomaar op een morgen
en leest de juf een spookverhaaltje voor
dan fladdert er een vleermuis door de klas heen
en gillen vreemde beesten in je oor.

Je hoort er deuren piepen, trappen kraken
er sluipen krokodillen door de gang
die grommen en bewegen met hun kaken
en telkens vraagt de juf: ben je al bang?

Er vliegen witte spoken langs de ramen
er kruipen zwarte griezels om je heen
soms voel je plotseling een grote naaktslak
die langzaamaan omhoogkruipt langs je been.

Op de griezelschool gebeuren enge dingen
zelfs de ogen van de juf worden soms wit
dus wanneer je niet zo dol bent op die dingen
blijf dan maar lekker op de school waar je nu zit.

Annie van Gansewinkel

HEKS SPECIALE ACTIES

'Ga weg, engerd!' Mika wappert met haar armen wild naar de grote zwarte kraai boven haar hoofd. Verschrikt spurt die weg naar de hoogste boom. Gaat hij nou zijn vriendjes halen, zodat ze allemaal Mika kunnen bestormen?

Ze slaat haar armen uit en maakt klapwiekende gebaren met haar lange, zwarte floddermantel. Tot haar verbazing blijft het rustig in de boom.

Ze vindt haar vriendin Jozan bij een vuurtje in de tuin. Mika wrijft in

haar handen, Jozan is iets smakelijks aan het bereiden.

'Ha, pottenkijkster, niet loeren, het is nog niet klaar. Gaat het goed?'

'Beetje zenuwachtig voor het examen, jij niet?'

'Welnee, we hebben toch al veel geleerd.'

'Er gaat soms iets mis.' Mika zegt het opgewekt. Maar als ze eerlijk is, moet ze zeggen dat bijna alles misgaat. Jozan kan alles, is nergens bang voor. Ook nu maakt ze vast weer het beste prutje van allemaal. Het ruikt in elk geval lekker smerig.

'Je kunt toch vast zeggen wat erin zit!'

Jozan schudt haar hoofd: 'Geheim van de keuken, anders is het geen verrassing meer voor hen.' Ze wijst naar vier kinderen die op een bankje verveeld zitten te wachten.

Als Jozan hen wenkt, kijken ze nog verveelder in de kookpot. Deze verwende kinderen zijn hier voor straf, maar ze lijken nergens last van te hebben. Nieuwsgierig loopt Mika dichterbij.

In de etenspot zit spaghetti, maar als ze beter kijkt, ziet ze vette wormen kronkelen. Daar druipt een bloedrode saus overheen waar zwarte en groene vliegen tegen afsteken. Langs de rand kruipen langzaam slijmerige slakken uit hun huisje.

Mika kan het niet aanzien en kijkt weg, in het trotse gezicht van Jozan. Die weet dat ze met dit vieze prutje met glans slaagt voor haar examen.

'Kijk,' Jozan wijst naar het midden van de pan, 'ik heb een wrattenzwijn van zijn wratten afgeholpen. Mooi hè? Als een feestelijke kers in de appelmoes.'

Eén blik werpt Mika nog in de pan en dan geeft ze hoestend en rochelend over.

Als de kinderen dat prutje in het gras zien, beginnen ze te gillen en proberen ze weg te vluchten. 'Kijken, jullie. Voortaan eten jullie je eten thuis gewoon op. Het kan altijd smeriger, zoals jullie zien.'

Als ze dat hebben beloofd, laat Jozan ze gaan.

'Gaat het?' vraagt ze aan Mika, die haar mond afveegt en nasnottert.

'Wat ziet het er ontzettend vies uit, dat daar.' Ze durft niet meer dichter bij de pan te komen.

'Het ís ook vies.' Jozan zegt het apetrots.

'Ik weet niet hoe ik voor mijn examen zo'n onsmakelijk potje moet maken zonder er zelf van te walgen. Wil jij me helpen?'

Jozan knikt, maar er trekt een zorgrimpel over haar voorhoofd.

Onzin, die hoeft zich heus geen zorgen te maken over haar examen.

'Als je die spullen niet durft aan te raken, kun je het toch met een toverspreuk proberen?' zegt Jozan. 'Je houdt je handen schoon en tadaa... je vieze prutje is klaar. Zelf hou ik alleen niet van die makkelijke vlug-klaar-happen.'

Een goed idee, Mika veert op. 'Ik probeer het meteen. Kan ik deze lege pan gebruiken? Hoe ging die spreuk ook weer?'

Ineens zit hij in haar hoofd, nu heeft ze hem al in haar mond. Die doet ze open: 'Wanga, eh... filiea, o nee, filium, eh, ja, vansiflans, kaaf, o nee kaaf, vansiflans.'

Allebei staan ze boven de pan, waarin een rood gestippeld vogeltje verschijnt. Het geeft hun een knipoog en vliegt weg.

'O nee hè, mislukt, door dat stomme gestamel. Dat toverspreuken-examen wordt nog een hele toer. Is er een toverspreuk om je examen te halen?' lacht ze naar Jozan.

Plotseling valt er een zwarte schaduw over hen heen, een zware hand op hun schouders. Ze durven niet om te kijken. Pas als Mika een glimp ziet van een paar superlange, roze nagels, draait ze zich om.

'Jij moet nog veel leren.' Het is Vermikelli, een van de hoofdheksen die de examens regelt. 'Laten we beginnen met een extra oefening in vliegen.'

Bij het woord 'vliegen' ziet Mika Jozan trillen.

'Of wil jij toch maar liever geen heks meer zijn?' vraagt Vermikelli aan Mika.

Die begint nu ook te trillen. Geen heks meer? Nooit meer op een bezem rondscheuren, lekker buiten wat rommelen, geinen met de andere heksjes. Zeker ergens in een duf huis en op een stomme school de hele dag braaf binnenzitten. Nou nee, dat nooit.

'Ik ga extra mijn best doen.'

'Soms zit het er echt niet in. Als jij je laatste kans verspeelt, moet je maar een gewoon kind worden.'

Nu wordt Mika pas goed bang, maar ook Jozan staat moeilijk te kij-

ken terwijl die toch alles, maar dan ook echt álles, kan.

Vermikelli trekt een ernstig gezicht. 'Jullie gaan voor mij op zoek naar veertig meter spinrag. Daarvan maken jullie bij de boze plek een mooie hinderlaag. Ik ken nog wat verwende mormels die opknappen van een lesje schrikken. Die spinnendraden kun je halen bij Corossa, achter in het wazige bos.'

'Corossa, u bedoelt toch niet die enorme s...s...spin?'

Vermikelli lijkt Mika niet te horen: 'Ik tel tot vijf en dan opvliegen! Een, twee, drie...'

'Mijn bezem doet het niet.' Jozan trippelt alsof ze moet plassen.

'Los het maar op. Vier...'

Mika trekt Jozan op haar eigen bezemsteel en richt die omhoog. Bij 'vijf' zijn ze los, maar de bezemsteel fladdert, net als hun kleren, alle kanten op.

'Je knijpt me dood,' zegt ze achterom tegen Jozan die zich bibberend tegen haar aan drukt.

'Kijk voor je,' waarschuwt Jozan, net op tijd, anders waren ze tegen een boom aangeknald. Ze vliegen wel heel hard en hoog en scheef en schots. Even knijpt Mika haar ogen dicht. Het wazige bos kan niet ver meer zijn.

Onder zich hoort ze gegil. Daar lopen kinderen hard voor hen uit, ze zwaaien met hun armen. Ze zijn toch niet voor hen beiden op de vlucht?

Het lijkt er anders wel op, want de kinderen duiken op de grond en wachten tot ze voorbijgevlogen zijn.

Ze moeten nu bijna op het terrein van Corossa aankomen. Bah, een slijmerige draad komt tegen haar mond, en nog een.

'Landen, je moet landen!'

Jozan heeft makkelijk praten, maar hoe moest ze ook alweer landen?

De draden worden dikker, het spinrag kleeft rondom hen. Corossa zal woest zijn. Het rag wordt dikker en dikker, Mika moet terug. Ze gooit zich met volle kracht achterover, maar voelt dat Jozan naar beneden stort. De bezem is nu een stuk lichter en stijgt op, weg uit het spinrag, recht op een grote boom af. Al het leven dat daarin huist, uilen, kraaien en duiven, klappert er in doodsnood uit als Mika zich met haar bezem in het bladerdak boort.

Dan barst er een luid gehuil los, onder aan de boom. Kinderen die hard om hun moeder en vader roepen, beloven dat ze voortaan altijd

braaf zijn, en daartussendoor het zielige huiltje van Jozan. Stoere Jozan die alles kan en durft.

'Naar beneden komen, nu!' Ai, Vermikelli is niet blij.

'Hoe?'

'Mijn mooie webdomein heb je vernield met je fratsen.' Corossa staat haar ook al beneden op te wachten.

'Kom op, naar beneden. Zoals je ook naar boven bent gekomen.'

Mika probeert eerst het smerige spinrag van de bezem weg te vegen. Ze doet een huppeltje en springt boven op de bezemsteel. Achter elkaar hoort ze 'krak', het geritsel van bladeren, een bonk, en dan 'Au'. Dat laatste zei ze zelf. Nu zit ze hier op de grond. Het grote, zwarte lijf van Corossa hangt dreigend boven haar, zijn acht poten staan om haar heen.

Maar daar dalen lange, roze-gelakte nagels op een van zijn poten. 'Ik regel dit wel, Cor. Het kind is al genoeg geschrokken.'

'Ze moet me alle schade vergoeden, zeker achthonderd meter spinrag gerafeld en geladderd.'

'Je overdrijft. Met jou alles goed, Jozan? Hier heb je een andere bezem, durf je alleen?'

'Nu wel. Het kan nooit zo eng zijn als met Mika. Zo ben ik in één klap van mijn vliegangst af.'

'Jij haalt het examen wel, met bezem en strik,' knikt Vermikelli goedkeurend. 'Maar jij, Mika, jij kunt geen examen doen. Dat wordt toch niks.'

Mika schrikt zich een ongeluk. 'Geen examen, geen heks. Moet ik hier weg?'

Vermikelli schudt haar hoofd en glimlacht. 'Ik heb iets beters voor

je. Jij wordt "Heks Speciale Acties". Jij hebt vandaag al zoveel dieren en kinderen laten schrikken, daar ben je echt een ster in. Ga lekker door met wat je doet. Word misselijk van vieze prutjes, verknoei je toverspreuken en laat ons lachen.

Jij kunt wél perfect schijndood neervallen, paniek zaaien, vervaarlijk fladderen en vernietigende toverformules uitspreken. Op één voorwaarde: met al die noodlandingen jaag je ons ook de stuipen op het lijf. Dus voortaan: kniebeschermers en valhelm verplicht.'

Mika valt Vermikelli zo uitbundig om de hals dat ze allebei lachend op de grond vallen.

Inge de Bie

SCHADUWLAND

Vroeger dacht ik altijd dat het leven een sprookje was. En dan niet op de manier van: oooohhh, wat is het leven leuk en aardig. Want ook al was ik pas tien jaar, leuk en aardig was mijn leven natuurlijk niet altijd geweest. Ik had bijvoorbeeld al zo erg ruzie gehad met mijn beste vriend dat we zelfs geen gewone vrienden meer waren; mijn opa en oma waren doodgegaan en mijn hond ook en ik had een keer mijn been gebroken toen ik van de trampoline afkukelde.

Zo'n sprookje dus niet. Maar ik dacht wel dat alles goed af zou lopen, want hoe erg die sprookjesverhalen ook konden zijn, ze eindigden altijd met: ze leefden nog lang en gelukkig. En dat leek me wel oké. Zo zou het in het echt ook vast zijn, anders hadden ze het nooit opgeschreven, en dat vond ik fijn om te weten. Maar dat geloofde ik vroeger. Voordat ik hier belandde.

Mijn opa en oma stierven tegelijk. Ze waren op vakantie en kregen een auto-ongeluk. Iedereen was superverdrietig natuurlijk, mama deed zeker een week lang niks anders dan snotteren. Maar daarna gebeurde er iets leuks. Wij mochten in het huis van opa en oma gaan wonen.

Het was een geweldig huis, met zo veel kamers, geheime hoekjes en gangetjes dat ik er met mijn vrienden makkelijk verstoppertje kon spelen. Bovendien lag het aan de rand van het bos. Ik heb met papa een geweldige boomhut gebouwd en de eekhoorntjes huppelden zomaar dwars door de tuin. Papa en mama blij. Ik blij. Niks aan de hand. Als het regende, was ik graag op de zolder. Dat was er één zoals je je voorstelt bij een griezelige zolder in een oud huis. Het hing vol spinnenwebben en er viel van alles te ontdekken. Oude meubelen en geheimzinnige dozen en kratten stonden opgestapeld langs de muren, daar heb ik heel wat mooie schatten vandaan gehaald. Ook een zakmes. Mama vertelde dat het nog van de opa van haar vader was geweest. Ze vond me eigenlijk te jong, maar toen ik beloofde er geen gekke dingen mee te doen, mocht ik het toch houden. Ik heb het zakmes gepoetst en geslepen en droeg het altijd bij me.

Maar het liefst hing ik met mijn benen over de leuning in de oude schommelstoel voor het raam, terwijl de druppels op het schuine dak roffelden. Het hele bos kon ik dan zien en ik droomde van Robin Hood, trollen, ridders en kabouters.

Gelukkig regende het niet vaak en als ik niet naar school was, was ik in het bos. Ik kende alle paadjes, hutten, holletjes en wist waar ik de lekkerste bramen kon plukken. Maar één ding wist ik niet...

Midden in het bos was een vennetje. Als je mazzel had en stil genoeg deed, kon je daar de hertjes zien drinken.

De dag dat ik stopte met in sprookjes te geloven, was ik daarheen

geslopen. Op mijn tenen, terwijl ik er goed voor zorgde dat ik niet op dode takken stapte en dat het geritsel van bladeren me niet zou verraden.

Heel zacht liet ik me op een omgevallen boomstam zakken en staarde naar de herten voor me. Een vader, met zijn trotse gewei, en een moeder met tussen haar benen het kleinste babyhertje dat ik ooit van dichtbij had gezien. Het diertje wankelde nog een beetje op zijn pootjes terwijl hij driftig zuigend melk dronk.

Zeker tien minuten stonden de herten daar, pa en ma drinkend uit het vennetje en de baby uit de moeder.

Toen moest ik echt verschuiven omdat mijn billen zo onderhand op twee houten klompen leken. De vader en moeder hoorden me, draaiden hun koppen naar me toe. Even keken we elkaar aan en toen sprongen ze rrrrrtssssjt... zo het bos in.

'Jullie vergeten je baby,' riep ik nog, en 'ik doe geen kwaad', maar het hielp niets. De herten waren en bleven weg. Het arme baby'tje stond rillend en trillend helemaal alleen aan de rand van het ven. Zijn koppie schuw naar beneden, hij raakte zowat het water.

Ik besloot ervandoor te gaan, zodat de ouders hem op konden halen. Voetje voor voetje schuifelde ik achteruit. Het hertje boog zich nog dieper voorover naar het ven. Ik deed weer twee stappen, bleef met mijn haren aan bladeren haken, keek heel even omhoog om mezelf los te maken en toen ik weer voor me keek, was het hertje verdwenen.

Ik sprintte naar voren, mijn armen uitgestoken om hem uit het water te vissen, maar het ven was kalm. Ik ging op mijn knieën zitten en tuurde verbaasd naar beneden. Geen golven, geen hertje, niets.

Alleen inktzwart, duisterdiep water.

Was hij dan misschien toch de struiken in gevlucht? Dat kon toch niet, zo vlug?

Ik keek alleen even over mijn schouder. Heel eventjes maar. Maar dat moment veranderde alles.

Mijn polsen werden vastgegrepen, precies tegelijk. Als een komeet draaide ik mijn hoofd om en begon te schreeuwen. Vanuit het ven staken twee lange, rottigbruine takken naar boven, als grijpklauwen van een hijskraan hadden ze me beet. Ik schreeuwde nog harder en wilde me losrukken, maar het ging niet. De takken waren te sterk.

Ze trokken, ik gilde en gilde en werd steeds dichter naar het water gesleurd. Ik keek om me heen, maar er was niemand die me kon helpen, niets waar ik me aan vast kon klampen. Ik was alleen. 'Rustig blijven,' zei ik hardop tegen mezelf. 'Geen paniek.'

Het zakmes, daarmee kon ik me loswrikken uit die knellende houten omhelzing. Ik rukte en sjorde, ging met mijn volle gewicht aan de takken hangen om mijn hand naar het zakmes te brengen. Het lukte. Mijn rechterhand was bij mijn broekzak. Ik voelde het mes al, koud tegen mijn vingertoppen, en strekte mijn vingers zo ver als ik kon. Maar de takken leken te weten wat ik van plan was, ze pakten me nog steviger beet, het hout sneed in mijn vel. Ze gaven een gigantische ruk en daar ging ik. Voorover plonsde ik het ven in.

Het water sloot zich boven me als een doorzichtige spiegel en eindelijk lieten de takken me gaan. Ik zwom omhoog, snakte naar lucht, maar stootte mijn hoofd. Nog eens probeerde ik uit het water te komen, en nog eens en nog eens, maar het ven liet me er niet door. Ik trommelde met mijn vuisten tegen de waterspiegel, gilde en

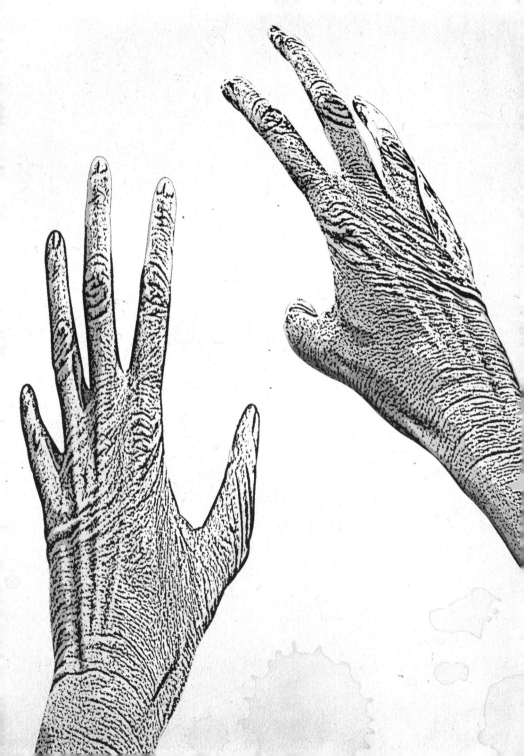

schreeuwde borrelende bellen, maar het had geen zin. Ik kon er niet meer uit.

NEEEEEEEE!!!

Ik haalde mijn zakmes tevoorschijn en ramde tegen het water. Beukte, hamerde en sloeg, maar er verscheen nog geen barstje. Helemaal niks. Het zakmes glipte uit mijn vingers. Glimmend zonk het. Weg.

Verdrietig liet ik me drijven, deed mijn ogen dicht. Dit was het dan... het einde. Nooit meer papa, nooit meer mama. Nooit meer schommelen op zolder en bramen zoeken in het bos.

Ik voelde een tikje tegen mijn arm en mijn hand werd vastgegrepen

door iets weeks en klefs. Ik durfde niet. Deed het toch. Ik keek. Het water was donker, als blubber zo zwart, maar toch kon ik alles zien. Sliertige algen en doorweekte takken kronkelden om me heen, duwden me, trokken aan me. Niet hard, maar ik moest mee. Het ging niet anders.

Ik keek naar boven, zag het bos verdwijnen. Steeds dieper ging ik, dieper en dieper tot ik niet meer verder kon.

Daar leef ik nu, op de bodem van het ven. Ik ben niet alleen, maar voel me dat wel. Er zijn hertjes, vogels, andere kinderen en eekhoorntjes, maar we kunnen niets. We drijven daar maar, tussen de takken. Het kleine babyhertje is er ook. We liggen altijd dicht tegen elkaar aan, dobberen samen op het ritme van het water. Verscholen in de algen is daar onze wereld.

Op de dagen dat ik het beneden niet meer kán volhouden, glijd ik naar de wateroppervlakte. Ik weet dat ik me daar niet beter van ga voelen, maar ik kan het niet laten. Ik blijf hopen dat iemand, iets me zal zien. Me kan helpen. Mijn polsen pakt en me hieruit trekt. Me bevrijdt. Dan zweef ik daar, mijn handen plat tegen het spiegelende ven. Ik zie in de verte dwarrelende bladeren, schaatsende mensen, drinkende herten. Winter na winter, zomer na zomer.

In het begin zag ik mijn ouders nog wel eens. Eerst stil van verdriet, later grijs en kromgebogen van zorgen. Om mij, dat weet ik zeker.

De laatste tijd heb ik ze niet meer gezien. Ik wacht en wacht en wacht. In het Schaduwland van het ven.

Marianne Busser
& Ron Schröder

MIJN BROERTJE

Op de kamer van mijn broertje
staat het vol met glazen bakjes
met plantjes en met steentjes
en met grasjes en met takjes
in ieder bakje woont
een grote enge zwarte spin
ik durf gewoon de kamer
van mijn broertje niet meer in.

Hij heeft voor zijn verjaardag
een grote kooi gehad
daar woont zijn beste vriendje in:
een grote grijze rat
hij heeft ook potten wormen
en enge duizendpoten
hij zoekt soms gekke beestjes
in de plassen en de sloten.

En nu zit mijn broer al uren
in een beestenboek te loeren
hij wil zo graag een slang
die hij met muizen kan gaan voeren
hij droomt zelfs van een vleermuisgrot
en van een krokodil
ik denk dat ik toch liever
maar een ander broertje wil.

Mirjam Mous

HET GRIEZELFEEST

Nikkie sabbelt op haar pen. Wie zal ze op haar verjaardagsfeestje vragen? Haar beste vriendin Manon, natuurlijk. En Jasmina en Silvie uit haar klas. Van de jongens vraagt ze Tom en Bram. O, en haar nichtje Linde, die is dol op feestjes. En niet te vergeten Juni, haar buurmeisje. Nikkie schrijft alle namen op. Met het puntje van haar tong uit haar mond. Zo, klaar!

'Hier, mam.' Nikkie legt het lijstje bij haar moeder op schoot.

Haar moeder leest, humt en knikt. 'Je hebt alleen Ruud nog vergeten.'

Nikkie rolt met haar ogen. Nee, hè?

Ruud is haar neef. Hij denkt dat hij een soort superman is. Nikkie
heeft hem nog nooit normaal zien fietsen. Hij rijdt meestal met
losse handen en hij steigert heel vaak. Zijn kettingkast is met vlam-
men en bliksemschichten versierd. Ruud doet niet alleen stoer, hij
ziet er ook zo uit. Hij draagt altijd korte mouwen, zelfs als het tien
graden vriest. Anders kun je de tatoeages op zijn armen niet zien.

Ha, alsof Nikkie niet weet dat ze nep zijn. Ruud maakt de tatoeages
zelf. Met van die afdrukpapiertjes die bij de kauwgom zitten. Je moet
je arm natmaken met spuug en dan het papiertje erop drukken. Als
je het er weer vanaf haalt, blijft er een tekeningetje op je huid achter.
Ruud kiest altijd griezelplaatjes, zoals een mummie, een vampier,
een spook of een skelet.

In zijn linkeroor heeft Ruud een gaatje. Dat is wel echt. Er zit een zil-
veren ringetje doorheen, waar een doodskop aan hangt. Brrr.

'Moet ik Ruud echt vragen?' moppert Nikkie. 'Hij vindt er toch niks
aan.'

'Ja, schat, dat moet,' zegt haar moeder. 'Ik wil geen ruzie met Gea.'

Tja, dat snapt Nikkie wel. Gea is haar moeders enige zus en Ruud is
Gea's enige zoon. Alleen... Nikkie zucht. Vorig jaar zeurde Ruud de
hele tijd dat hij haar feestje kinderachtig vond. Wacht eens even! Ze
krijgt plotseling een superidee.

'Ik geef dit jaar een heel eng griezelfeest,' zegt Nikkie. 'Zo eng, dat
zelfs Ruud er kippenvel van krijgt.'

Twee weken later is het zover. De kamer is prachtig versierd. Tegen het plafond zweven zwarte ballonnen. Voor het raam hangt een gigantisch spinnenweb van touw met rubberen reuzenspinnen erin. Aan de lamp bungelt een spook. Het is eigenlijk een bal met een laken eroverheen. Nikkie heeft er met zwarte stift twee ogen op getekend.

Ruud en zijn moeder komen als eersten binnen.

'Ik schrok me suf toen ik die spinnen zag,' zegt tante Gea. 'Wat een enge beesten!'

'Hoezo eng?' Ruud snuift. 'Ze zijn gewoon van rubber.'

Nikkie pakt haar cadeautje uit. Een boek met griezelverhalen. Jakkes! Op de kaft staat een man zonder hoofd.

'Ruud heeft het uitgezocht,' zegt Gea. 'Hopelijk vind je het niet té griezelig.'

'Nee, hoor.' Nikkie legt het ondersteboven op de kast.

Ha, daar zijn Manon, Silvie en Jasmina! Silvie slaakt een gilletje als ze het nepspook ziet.

'Baby,' mompelt Ruud.

Wacht maar, denkt Nikkie. Straks piep je wel anders.

Iedereen is er. Nikkie heeft alle cadeautjes uitgepakt. Nu kan het griezelfeest beginnen. Haar moeder brengt een taart met brandende kaarsjes binnen. De kaarsjes komen uit de fopshop. Ze zien eruit als afgehakte vingers en uit de onderkant drupt bloed. Nou ja, aardbeiensap. Tussen de vingers liggen zwarte vleermuizen. Nikkie weet dat ze van chocolade zijn, maar toch...

'Gave taart,' zegt Jasmina. 'Ik krijg er alleen wel kippenvel van.'

'Watje.' Ruud hmpft. 'Dat krijg ik nou nooit.'

'Iedereen krijgt wel eens kippenvel,' zegt Manon. 'Zelfs jij.'

Ruud lacht alsof ze de mop van de eeuw heeft verteld.

Nikkie blaast alle kaarsjes in één keer uit.

'Nu mag je een wens doen!' roept Juni.

Nikkie kijkt naar Ruud. Ze doet haar ogen dicht en wenst...

Na de taart is het tijd voor griezelspelletjes. De gasten krijgen een blinddoek om en dan moeten ze in een teiltje voelen.

'Hier zit groene snot in,' zegt Nikkie.

'Iek, getver.' Silvie durft alleen met het puntje van haar wijsvinger te voelen.

Ruud maakt snuivende geluiden alsof hij verkouden is.

'Gaaf, man.' Tom roert met zijn hand door het teiltje. 'Het lijkt net echte snot.'

'Noem dat maar gaaf,' griezelt Manon.

Ruud is aan de beurt. 'Dacht ik al,' zegt hij verveeld. 'Gewoon behanglijm.'

Nikkie pakt vlug het volgende teiltje. 'En dan nu... vers van de slager: varkenshersens!'

Manon voelt en giechelt. 'Klef en toch smeuïg.'

Silvie doet er tien minuten over voordat ze de hersens aan durft te raken. Bram wil zich niet laten kennen, maar Nikkie ziet dat zijn bovenlip trilt. Linde probeert te ruiken wat het is en Tom knijpt erin. 'Goor.'

Alleen Ruud geeft geen kik. 'Zult met spaghettislierten,' zegt hij koeltjes. 'Dit soort flauwe spelletjes deden we al toen ik vier was.'

Wacht maar, denkt Nikkie. Ze pakt een schaal met koude bitterballen. 'We gaan verder met het onderdeel blind proeven. Wie durft er een koeienoog op te eten?'

Silvie wordt al groen bij het idee. Jasmina rilt alsof ze in een vrieskist staat. 'Ben ik even blij met die blinddoek,' zegt Juni. 'Als zo'n koeienoog je aanstaart, is het nog veel enger.'

'Ehm,' doet Bram. 'Ik geloof dat ik dit spelletje even oversla.'

Ruud lacht hem vierkant uit. 'Je lijkt wel een meid.'

'Proef jij dan,' zegt Tom nijdig. 'Als je zo stoer bent.'

Goed zo! denkt Nikkie.

Maar Ruud grinnikt. 'Kom maar op met dat koeienoog.' Hij doet zijn mond wagenwijd open. Nikkie legt een bitterbal op zijn tong.

'Volgende keer heb ik hem liever warm,' zegt Ruud zonder een spier te vertrekken.

Grrr, denkt Nikkie. Ik moet iets beters verzinnen.

De blinddoeken liggen op tafel, de kinderen zitten op de grond voor de tv. Nikkies moeder deelt chips en limonade uit. Dan gaat de dvd-speler aan en kan de voorstelling beginnen. De film heet *Griezelnacht* en hij gaat over een spookhotel. Alle gasten zijn 's nachts ineens verdwenen, behalve een jongen en een meisje. Ze moeten met zijn tweeën een miljoen griezels verslaan.

Jasmina slaakt af en toe een gilletje van schrik. Silvie durft alleen door de spleetjes tussen haar vingers te gluren. Bram en Tom lachen hard. Van de zenuwen, denkt Nikkie.

Alleen Ruud verveelt zich suf. 'Zeker een film voor onder de twaalf?' moppert hij.

'We zíjn ook allemaal jonger dan twaalf jaar,' zegt Nikkie.

'Nou en?' Ruud geeuwt. 'Ik dacht dat dit een griezelfeest was, maar er is niks engs aan.'

Op de tv klinkt spannende muziek. De jongen vecht met een driekoppig monster en het meisje met een rammelend skelet.

'Echt wel!' Linde knijpt Juni's hand bijna fijn.

'Stelletje kleuters,' zegt Ruud. 'Jullie piesen al in je broek bij *Casper het spookje.*'

De film is afgelopen. Nikkie haalt de dvd uit het apparaat. Op de tv is een heel ander programma bezig. Een jongen en een meisje staan te zoenen.

'Ik ben gek op liefdesfilms!' roept Silvie.

Ruud draait zijn hoofd af. Er gaat een rilling door zijn lijf. 'Gatver,' zegt hij vol afschuw. 'Kan dat kleffe gedoe even uit?'

Nikkie kijkt verbaasd naar haar neef. Hij frunnikt aan zijn oorbel en lijkt helemaal niet stoer meer. 'Ik dacht dat je nergens bang voor was?' zegt ze.

Hij kijkt haar geërgerd aan. 'Ben ik ook niet.'

Nikkie glimlacht. 'Dus jij vindt nooit iets griezelig?'

'Tuurlijk niet. Ik durf alles.' Ruud steekt zijn borst vooruit. 'Als ik een leger zombies tegenkom, sla ik ze zo in elkaar. En ligt er een vampier in onze kelder? Dan ram ik gewoon een houten staak door zijn hart. Makkelijk zat.'

Opscheppertje! denkt Nikkie. Zombies en vampiers bestaan niet eens.

Ze knipoogt stiekem naar haar vriendinnen. Haar neef heeft niets in de gaten.

'Hé, Ruud,' zegt Nikkie. 'Dat oorbelletje van jou is eigenlijk best wel schattig.'

Ze kan hem bijna hóren denken: niks schattig! Stoer!

'Ja, en die tatoeages zijn helemaal snoezig.' Linde aait over de mummie op zijn arm. 'Een roze hartje zou je trouwens ook goed staan.'

Ruud trekt vlug zijn arm weg. 'Gatver, hou op!'

'Zullen we met de barbies gaan spelen?' vraagt Silvie.

'Doe normaal!' roept Ruud.

'Ik weet een veel leuker spelletje!' Juni tuit haar lippen.

'Ja!' Jasmina begint te zingen. 'Eén, twee, drie, vier, vijf, zes, zeven.'

'Zoentjes geven!' Alle meiden gaan om Ruud heen staan.

Zijn stoere houding is nu helemaal verdwenen. Hij krimpt in elkaar.

'Zoenen! Zoenen!' roepen Bram en Tom. Ze stikken van de lach.

Ruud rilt en bibbert. 'Stomme meiden, hou op.'

'Zie je nou wel?' Manon juicht. 'Ik zie kippenvel op zijn armen!'

'Een leger zombies?' vraagt Silvie spottend. 'Je bent al bang voor een paar meiden.'

'Jullie zijn veel enger dan zombies.' Ruud houdt zijn handen als een schild voor zijn gezicht. 'Zombies kussen nooit. Ze rukken hoogstens je hart uit en eten het op.'

Nikkie kijkt naar haar neef en grijnst. Volgend jaar geef ik een romantisch feest, denkt ze. Met roze ballonnen en hartjes en heel veel liefdesliedjes. Wat zal Ruud dan griezelen!

Stefan Boonen

CAMPING HET BEEN

DIT IS EEN WAARSCHUWING!

Ga nooit op stap met je mama. Zeker niet als je op vakantie bent. Het zou kunnen dat je mama een of ander kasteel wil bezoeken. En omdat je papa er geen zin in heeft en je zusje nog te klein is, moet jij met haar mee.

Misschien valt het kasteel mee, heeft het een hoge toren en is het er gezellig eng in de kerkers. Hou je ogen open op de terugweg. Neem geen binnenweg. Vermijd diepe kuilen in het wegdek. Het soort kui-

len waarvan je mama gaat gillen en waar banden lek van gaan. Zorg ervoor dat je wat weet van auto's en het vervangen van lekke banden. Anders sta je samen met je mama een uur te prutsen en te vloeken langs een verlaten binnenweg. Het lijkt net of de bomen jullie uitlachen. En vergeet niet om naar het weerbericht te kijken vóór je vertrekt. Zodat je zeker weet dat er geen onweer over dat verlaten bos zal schuiven, gevolgd door donkere wolken en plensbuien.

Dan hoef je niet mee te maken – als de band eindelijk vervangen is – dat je met tien kilometer per uur door een duister en nat bos tuft. Er zitten zwarte strepen op het gezicht van je mama en haar haren pieken alle kanten uit. Al doet ze haar best om te glimlachen en zegt ze met een bibber in haar stem dat 'er niks aan de hand is'.

(Waar zich dit allemaal afspeelt? Minder ver weg dan je zou verwachten. Niet zo ver van de kust. In een land dat begint met een B. en amper twintig kilometer van een stadje waarvan de eerste letter een D. is)

De D van dood. Zoals in doodstil. Of doodop. Het was nacht toen het bos ons eindelijk vrijliet. Ja, zo voelde het. Alsof het bos ons liet gaan. We reden op een smalle asfaltweg. Even glipte de maan tussen de wolken door. Mama zuchtte. 'Ik ben doodop,' zei ze. Ik vroeg of we er bijna waren. Mama zei dat ze geen idee had. Ze geeuwde.

Even later kwamen we op een kruispuntje van niks. Er stonden een straatlantaarn en één bordje. CAMPING. De pijl wees naar rechts. 'Misschien kunnen we daar iets drinken. Ik snak naar een koffie. En we kunnen er de weg vragen.'

Ik zei al: dit is een waarschuwing. Als je ooit in dezelfde situatie ver-

zeild raakt, zorg er dan voor dat je mama niet naar rechts draait. Laat staan dat ze halt houdt bij een volgend bordje. CAMPING. Deze keer wijst het bordje naar een landweg. In de verte brandt licht. Het is verstandig om die landweg niet in te rijden. Een parkeerplaats, een laag grijs gebouwtje, bomen zonder bladeren. Stap vooral niet uit. Het is er opvallend stil. Doodstil. Klop niet op de deur van dat gebouwtje en duw die deur niet open. Je zou immers in een ruimte kunnen komen die lijkt op een vergeten café. Er staan tafels, enkele koelkasten, een toog met daarop – onder een kaasstolp – een doodskop met knikkerogen.

Roep niet: 'Hallo, hallo, is hier iemand.'

Ga ervandoor zodra er een deur opengaat en er iemand verschijnt. Een vrouw van wie je eerst denkt dat het een man is. Ze is groot en knippert voortdurend met haar ogen. Als ze lacht, zie je dat de meeste van haar tanden een donkergroene kleur hebben.

Ik hoorde hoe mama slikte en zei: 'Dag mevrouw. Sorry dat we zo laat nog storen. Maar we zijn verdwaald en...'

De mevrouw was op een akelige manier vriendelijk. 'Welkom,' zei ze.

Mama kreeg een kop koffie en ik een cola die smaakte naar dode spinnen. De mevrouw haalde een versleten landkaart tevoorschijn en wees aan waar we ons bevonden. Op de kaart leek het maar een klein stukje naar de kust en ons vakantie-appartement. Toch beweerde het mens met de groene tanden dat het nog een uurtje rijden was. Zeker met zulk duivels weer. Ze grijnsde. Ik fluisterde mama in haar oor: 'Ik wil hier weg.'

En net op dat moment begon het opnieuw te regenen. Grote drup-pels. De mevrouw knipoogde naar me. 'We hebben hier ook een cha-let,' zei ze. 'Die verhuren we. En u hebt geluk. Toevallig is die nu vrij.'

Zo toevallig was dat volgens mij niet. In het houten huisje hing een muffe geur. Alsof wij de eerste bezoekers in jaren waren. Al beweer-de de mevrouw dat de chalet tijdens de zomer bijna elke nacht ver-huurd was. Maar wij hadden dus 'geluk'. Het geluk om drie joekels van spinnen uit het toilet te jagen. Het geluk om stof van de spiegel te blazen. Er lagen lakens en dekens in een kist. Mama rook eraan en schudde haar hoofd.
'Zullen we weggaan?' stelde ik voor.
Mama zuchtte en zei dat ze te moe was. Eén nachtje in dit houten hutje zou toch wel lukken? Ik haalde mijn schouders op en liep naar het raam. Ik drukte mijn neus tegen het venster en schrok. 'Ho!' riep ik.
'Wat?' vroeg mama bezorgd.

'Ik dacht dat ik iemand...' begon ik. 'Waarschijnlijk mijn eigen scha-duw.' Ik grijnsde en mama glimlachte. Ze nam haar gsm en belde papa. Een kort telefoontje. Mama kreeg net genoeg tijd om te zeggen wat er aan de hand was. 'We zijn verdwaald. We zijn moe. Vannacht slapen we op een camping.' Daarna viel de lijn weg. Verbinding foetsie.

'Ik zie geen tenten!' zei ik.

'Ja en?' mopperde mama.

'Dit is toch een camping!'

'Misschien staan de tenten verderop. Dat kan ook. Kom, we gaan slapen. Dan kunnen we vroeg vertrekken. Ik heb al betaald.'

Mama deed het licht uit en ze snurkte al na vijf minuten. Ik lag stokstijf tussen de krakende lakens. Ze roken naar augurken. Ik lag klaarwakker in mijn bed. Thuis telde ik dan tot 10.000 of vertelde mezelf een verhaal. Hier kwam ik niet verder dan 'Er was eens...' Er was eens een jongen die in een vies bed lag en opeens moest plassen.

Eerst probeerde ik de plas op te houden. Maar hoe harder ik probeerde, hoe erger ik moest. Dus glipte ik voorzichtig uit mijn bed. Pas toen ik de klink van de toiletdeur in mijn handen had, dacht ik weer aan de spinnen. Die waren natuurlijk terug naar het toilet geslopen zodra ze de kans kregen. Nu zaten ze op de bril of in een hoekje. Groot, zwart, wachtend. Het was beter als ik naar buiten ging. Toch? In het donker zocht ik mijn weg naar de buitendeur en liep de smalle veranda op. Het regende niet meer.

Nu even goed opletten.

Stel dat je midden in de nacht plast op zo'n kille camping, kruip dan

meteen weer in je bed. Kijk niet naar de donkere wolken, vraag je
niet af wat voor geluid dat was. Riep daar iemand 'Help'? Wat je zeker
niet moet doen, is met knikkende knieën en op blote voeten van de
veranda stappen. Wat kan jou het schelen dat er iemand in nood is!
In zo'n geval dwing je jezelf om terug te keren. Ga zeker niet verder
het donker in. Daar is dat geluid weer. Was dat iemands stem? Of een
bot dat kraakte?

Rechts van me zag ik opeens een tent. Of nee, geen tent. Gewoon een
laken dat over een draad hing. Wat was daar de bedoeling van? Bij
elke stap die ik zette, voelde ik hoe stom en gevaarlijk dat was. Het

was of ik niet terug kon. Of iets me in zijn greep had.

Ik rook het vuur voor ik het zag. Onder een boom, midden in een natte nacht, brandde een vuurtje. Naast dat vuur stond de mevrouw. Ze had een bijl in haar linkerhand. Met haar rechterhand raapte ze iets op van de grond. Ze raapte een mensenbeen op. Het was smal en knokig. Als je er niks van weet, zou je denken dat het een tak was. Ze legde het been op een blok en hakte het in twee stukken.

Ik denk dat ik gilde. En daarna stokstijf bleef staan.

Ik zag hoe de mevrouw in het donker tuurde. Ze grijnsde toen ze vroeg: 'Ben jij dat, jongen?'

Natuurlijk gaf ik geen antwoord. Ik bleef staan, hield mijn adem in. Net zo lang tot de vrouw weer in beweging kwam. Deze keer raapte ze een arm op, denk ik.

Langzaam liep ik achteruit. Mijn hart ging woest tekeer, ik zweette en er liepen koude rillingen over mijn rug.

In de chalet maakte ik mama wakker. Fluisterend, in paniek. 'We moeten ontsnappen, mama! Zo snel mogelijk.' Het is mogelijk dat ik huilde.

Mama was zo verstandig om niet te veel vragen te stellen. 'Rustig maar,' zei ze terwijl ze haar kleren aantrok en in haar schoenen stapte.

Géén vijf minuten later waren we bij onze auto. En net toen ik de deur dichttrok, hoorde ik een duivelse stem. 'Hé, wacht eens...'

Mama startte de motor en gaf vol gas. Terwijl we wegstoven, zag ik de mevrouw staan. Als een monster in het maanlicht, de bijl in haar handen.

Als bij toeval kwamen mama en ik uit bij een klein dorpje. We parkeerden de auto op het marktplein en sloten de deuren. Zo hebben we de rest van die nacht doorgebracht. Ik vertelde mama wat ik gezien had. Ze knikte, streelde over mijn hoofd en zei dat we toch een beetje moesten slapen.

De zon wekte ons vroeg, gelukkig was de bakker al open. Mama kamde haar haren met haar vingers en haalde vier chocoladebroodjes. We ontbeten op een bankje. Ik voelde me moe en rillerig. En ik vond dat we de politie moesten waarschuwen. Mama twijfelde. 'Wat als...'

Net op dat moment wandelde er een agent voorbij.

'Meneer?' vroeg mama.

'Ja?'

'Nou, euh, we waren vannacht op de camping hier in de buurt, en toen, nou ja...'

De agent trok zijn wenkbrauwen op. 'U vergist zich mevrouwtje. In ons dorp is er geen camping. Als u ergens wilt logeren, moet u aan de kust zijn.'

Ik weet nog goed dat ik naar adem hapte. Dat ik mama aanstaarde.

'Is er iets?' vroeg de agent.

Ik schudde mijn hoofd. Daar heb ik nu spijt van. Ik had die agent moeten waarschuwen.

Net zoals ik jullie waarschuw.

GA NOOIT OP STAP MET JE MAMA.

Marianne Busser
& Ron Schröder

ONS GRIEZELRESTAURANT

Kom in ons griezelrestaurant
hebt u nog niet ontbeten?
kom dan in ons restaurant
daar kun je heel eng eten
een fijne lunch of een diner
kijk snel op het menu
zo hebben we gebraden rat
in pissebeddenjus.

In onze schaal met griezelsla
springt nog van alles rond
torretjes en kevertjes
die kruipen door je mond
of neem eens als voorafje
kikkerdril om te beginnen
of kies de grijze slakkenvla
die glijdt vanzelf naar binnen.

Ons koeienogenhoofdgerecht
in spinnenweb gewikkeld
dat kijkt je toch zo zielig aan
wanneer je ervan smikkelt
hebt u soms geen honger meer
dan spijt ons dat – helaas
dan neemt u als u thuiskomt
maar een broodje pindakaas...

Loes Hazelaar

BANG VOOR NIKS

'Suzie, heb je alles ingepakt?'

De stem van Suzies moeder begint ongeduldig te klinken.

Ze loopt gehaast heen en weer, tussen haar eigen slaapkamer en die van Suzie, terwijl ze zich ondertussen aankleedt.

Suzie kijkt nog eens in haar koffer. Die ligt open op bed. Keurig naast elkaar liggen daar haar gele pyjama, een onderbroek, sokken, haar toilettas met rode hartjes en haar knuffelbeer Baloe.

'Ik geloof het wel,' antwoordt ze onzeker. Ze weet het eigenlijk niet.

Ze heeft nooit eerder zelf haar logeerkoffer ingepakt, hoe moet ze dan weten of ze aan alles heeft gedacht?

Haar moeder zucht en komt naast haar staan, bij het bed. Ze somt alles voor Suzie op.

'Wat denk je, mis je iets?' vraagt ze kortaf.

Nee, denkt Suzie, alleen mijn eigen kamer en mijn bed vannacht. En jou en papa. Heel erg. Maar ze zegt het niet hardop.

Haar ouders hebben een feest vanavond, van het werk van haar vader. Een belangrijk feest, zei haar vader gewichtig, want de president-directeur komt speciaal over uit Amerika om erbij te zijn.
En iedereen overnacht na het feest in een sjiek hotel.
Gisteravond aan tafel hadden ze het erover. En toen kreeg ze ook te horen dat ze uit logeren moet. MOET. Ze houdt niet van logeren. Ze vindt het eng om ergens anders te slapen. En dan ook nog zonder papa en mama. Helemaal alleen. Haar moeder weet hoe akelig ze dat vindt.

'Schat, we hebben echt geen keus, we konden geen oppas regelen. Je moet flink zijn. Je gaat naar oma, dat is toch bijna hetzelfde als thuis?'
'Waarom kan oma niet hier komen?' vroeg Suzie schor.
'Ze moet bij haar poes blijven,' antwoordde mama, 'je zus gaat naar een vriendin, Jeroen naar tante Karin en jij naar oma. Gezellig, toch?' drong haar moeder aan.
'Ja, heel gezellig,' antwoordde Suzie zacht.
Haar keel voelde vreemd strak, alsof iemand hem dichtkneep.
'En omdat je nu al zo groot bent, al bijna negen, mag je morgen zelf je koffer inpakken!' glimlachte haar moeder.

Het is zover. Haar moeder heeft haar feestkleren aan en inspecteert zichzelf in de grote spiegel op de overloop. Een strakke, zwartfluwelen jurk draagt ze, met zilverglanzende panty's eronder. Schoenen met heel hoge hakken. Ze ziet er anders dan anders uit. Wel mooi maar vreemd. Net zo vreemd als Suzies bed zal zijn vannacht. Ze voelt een knagende pijn in haar maag.

'Zo, ik denk dat we nu wel kunnen gaan. Ben je klaar, Suzie?' vraagt haar moeder terwijl ze op haar horloge kijkt. 'Ik heb papa beloofd dat ik om zeven uur bij de ingang van de zaak zou zijn.'

Ooooh, kreunt het vanbinnen bij Suzie. De pijn in haar buik wordt erger. Alsof iets op haar maag is komen zitten, zo zwaar als een olifant.

'Goed, mam,' zegt ze zo vrolijk mogelijk. Ze wil het feest voor haar ouders niet verpesten.

En wat stelt het nou voor, een nachtje bij oma. Het is geen nacht in een spookkasteel of weerwolvenbos. Kom op, zeg, niet aanstellen. Ze gaat rechtop staan en pakt haar koffer van het bed. Haar moeder wil de koffer aannemen om hem voor haar te dragen, de trap af. 'Nee, ik doe het wel. Ik ben groot genoeg,' antwoordt Suzie, maar ze meent er niets van. Ze voelt zich juist heel klein nu. Ze kan haar ouders niet eens een nachtje missen. Kinderachtig!

'Ik moet nu gaan, schatje, zul je lief zijn bij oma?' vraagt haar moeder terwijl ze Suzie afzet bij het tuinhekje. Maar ze wacht niet op Suzies antwoord. Het portier slaat al dicht. Ze zwaait nog een keer en dan is mama weg. Suzie hoort het geronk van de motor van de auto steeds zachter worden. En ze hoort oma's krakende stem: 'Kom, schat, het is koud buiten. Het heeft zo hard gesneeuwd vandaag dat de buurkinderen al een sneeuwpop hebben gemaakt. Laten we snel naar binnen gaan en lekker pannenkoeken eten.' Suzie loopt achter oma aan naar de keuken. Oma heeft het beslag al klaarstaan in een grote kom op het aanrecht. Suzie mag de lepel in de kom laten zakken en onderdompelen in het dikke bleke deeg. Het beslag glijdt in de lepel. Oma tilt de lepel omhoog en kiept het beslag in de koekenpan. De ronde, witte schijf wordt langzaam bruin. Oma draait de pannenkoek om totdat ook de andere kant bruingebakken is. Dan legt ze hem op Suzies bord. Voordat Suzie kan weigeren, heeft oma er al een dikke laag stroop overheen laten lopen.

'Word je groot en sterk van, kindje,' zegt oma tevreden.

Kijk, ook daarom heeft Suzie zo'n hekel aan logeren. Hoe lief oma ook is, anderen weten gewoon niet wat je wel en niet wilt, wat je wel en niet lust, wat je wel en niet leuk vindt. Zelfs een oma niet. Alleen thuis weten ze dat precies. Ergens anders niet. Suzie slikt een paar keer en sluit haar tranen op, binnen. Niet huilen! Maar ze voelt zich zo alleen en bang voor de lange avond en donkere nacht.

'Help je even met afwassen, Suzie?' vraagt oma.

Ze wassen en drogen twee bordjes, twee glazen, twee messen, twee vorken en de koekenpan af.

'Nu moet de kleine vuilnisbak nog even geleegd worden, hij is propvol. Wil jij dat doen, Suzie? De container staat in de schuur. Ik ben bang dat ik uitglij op het pad, het heeft gevroren en het is zo donker,' zegt oma.

Jeetje, wat nu? Suzie is niet bang dat ze uitglijdt in het donker, nee, ze is sowieso bang in het donker. Maar dat kun je natuurlijk niet zeggen tegen een oude oma. Stel dat oma zelf gaat en valt? Dat is pas echt een ramp.

Nee, ze zal door moeten bijten, denkt Suzie.

'Goed hoor, geef maar,' zegt Suzie dapper.

Oma geeft haar de emmer aan.

'Als je terugkomt, krijg je een lekkere kop warme chocolademelk als beloning, schat,' belooft oma.

Suzie trekt haar jas aan, gaat de keukendeur uit en loopt voorzichtig over het glibberige tuinpad naar de schuur. Gelukkig schijnt het licht van de buitenlamp fel genoeg om iets te kunnen zien. Maar halverwege de tuin blijft ze stokstijf staan. Wat ziet ze daar links van het pad? Het lijkt wel een man. De verschrikkelijke sneeuwman. Dik en rond is hij. Ze wil keihard gillen en terugrennen naar het huis, maar ze bedenkt zich net op tijd. Misschien bezorgt ze oma dan wel een hartaanval en breekt ze zelf haar nek als ze uitglijdt op het pad. Het is beter om zo rustig mogelijk weg te gaan, want de man staat stil, hij lijkt haar niet te willen pakken. Ze hijgt zachtjes. Als ze op het punt staat om te draaien, blijft ze staan. Hij beweegt niet! Helemaal niet. En hij is wel heel erg dik en rond. Langzaam schuifelt ze naar de rand van het tuinpad. Dan moet ze opeens giechelen. Van opluchting en van de zenuwen. Jeetje, wat is ze stom! Het is een sneeuwpop. Suzie haalt een keer diep adem en loopt rustig verder over het tuinpad naar de schuur. Ze trekt aan de schuurdeur. Hij klemt en kraakt als ze hem opent. Binnen in de schuur is het bijna zwart. Een flauw licht-schijnsel valt door het raampje naar binnen. Er hangen spinnenweb-ben voor het glas en een dikke spin wiegt in zijn web. Jakkes! Ze voelt een rilling langs haar rug lopen. Als haar ogen gewend zijn aan het donker, ontdekt ze de container. Ze tilt het deksel op en net als ze de emmer wil legen, hoort ze geritsel. Ze geeft een gil en laat de emmer van schrik op de grond kletteren. Tegelijkertijd hoort ze een fel gekrijs. Haar hart hamert in haar keel en haar benen trillen, zo erg dat ze er niet mee durft te lopen. Zit er een enge zwerver in de schuur? Eentje die uit containers eet? Of nog erger: een heks? Maar dan ziet ze de kat van oma door de schuurdeur naar buiten rennen, de tuin in. Suzie haalt diep adem. Stomme kat! Stomme ik! Ik ben nu al twee keer bang voor niks geweest! De emmer ligt omgekieperd op de grond en het afval ligt verspreid over de vloer. Ze bijt op haar lippen, raapt de rommel op en gooit het in de container.

Snel. Ze probeert niet te denken aan spinnen, muizen, ratten en spoken. Als ze het laatste lege zakje in de container heeft gegooid, smijt ze het deksel dicht, grijpt ze de vuilnisemmer en haast ze zich de schuur uit, het tuinpad over naar het huis terug. Ze glibbert bijna onderuit. Oma staat in de deuropening van de keuken om de poes binnen te laten. Ze roept: 'Kind, waar bleef je toch? Pas op dat je niet uitglijdt!'

'Waar is het feest van je ouders?' vraagt oma.
Ze zitten in de kamer tegenover elkaar aan tafel, onder de hanglamp, en spelen een spelletje kaarten. Liegen.
'Ehm, in het centrum. Naast het station. Daar is papa's zaak en daar is het feest.'
'Dat is wel heel dichtbij,' mompelt oma, 'bijna niet de moeite waard om in een hotel te overnachten, vind je wel?'
Suzie heeft al zeker een kwartier niet aan haar ouders gedacht. Het

spelletje is zo spannend dat ze bijna schrikt van oma's vraag. Direct voelt ze de buikpijn weer opkomen.

Zou het goed met ze gaan? Zouden ze wel weer terugkomen? Zouden ze haar morgen komen ophalen? Alsjeblieft heel vroeg!

Oma gooit een kaart op de stapel terwijl ze Suzie met een brede glimlach aankijkt.

Zou oma liegen? Of niet? Bij oma's weet je dat nooit. Die hebben zoveel rimpels dat je hun ogen niet goed meer kunt zien. En aan ogen kun je juist zien of iemand de waarheid zegt. Draaien ze een andere kant op, kijken ze wazig, of kijken ze je niet recht aan, dan liegt iemand waarschijnlijk, heeft mama eens uitgelegd. Oma's horen eigenlijk niet te liegen, natuurlijk. Maar die van haar doet dat nu wel. Suzie weet het zeker.

'Oma, je liegt!'

Oma tuit haar lippen en schudt wild met haar hoofd van nee.

Suzie draait de kaart om. Het moet een harten zijn. Maar het is een klaverkaart.

Oma heeft gelogen. Suzie giechelt en schuift een grote stapel kaarten naar oma toe.

Het is bedtijd. 'Ga jij vast naar boven om je te wassen en dan mag je in bed gaan liggen. Ik laat de poes nog even naar buiten,' zegt oma. Op de badkamer staat Suzie voor de wastafel. Twee glimmende kranen zitten er. Een voor warm en een voor koud water. Superouderwets. Ze buigt zich voorover, draait beide kranen open, vouwt haar handen tot een kommetje en vangt eerst wat koud en daarna wat warm water op. Dan gooit ze het water tegen haar gezicht. Ze graait opzij naar een handdoek. Niks. O, nee, bij oma liggen ze ergens anders. Ze pakt er een uit het kastje onder de wastafel. Wat voelt die handdoek akelig! Alsof hij in een pot gel heeft gelegen. Keihard. Thuis zijn de handdoeken altijd zacht en dik. Mama droogt ze in de wasdroger. Dat vindt oma 'nonsens'. Drogen aan de lucht, dat is gezond en fris, vindt zij. Datzelfde geldt ook voor de lakens, merkt Suzie. Ze schuren langs haar armen en benen als ze onder de dekens schuift. Ze voelen een beetje klam en kil aan. Suzie rilt.

'Zal ik nog een verhaaltje vertellen?' vraagt oma.

'Ja, leuk.' Als het maar geen eng verhaal is, wil Suzie zeggen, maar ze houdt zich in. Niet zo babyachtig doen! Suzie nestelt zich in het kussen en klemt Baloe tegen zich aan. Afwachtend kijkt ze naar oma, die naast haar op het bed zit.

'Er was eens een grote dikke poes. Sonja heette ze. Ze woonde al haar hele leven aan de Katoenstraat, in een klein rijtjeshuis. Daar was ze heel tevreden, met haar baasjes en het kleine tuintje. En de kleine zolder, vol met kleine muizen. Op een dag lag Sonja heerlijk te slapen in haar mand bij de kachel. Ze werd wakker van de postbode. Die floot altijd bij zijn werk. De brievenbus klepperde en er viel een brief op de mat. Haar baasje pakte de brief, opende hem en begon heel hard te schreeuwen. Sonja schrok zich bijna dood. En dat was nog maar het begin van een heleboel herrie. Na het ene baasje begon het andere baasje ook te schreeuwen en samen dansten de twee baasjes

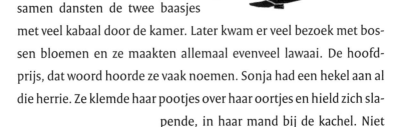

met veel kabaal door de kamer. Later kwam er veel bezoek met bossen bloemen en ze maakten allemaal evenveel lawaai. De hoofdprijs, dat woord hoorde ze vaak noemen. Sonja had een hekel aan al die herrie. Ze klemde haar pootjes over haar oortjes en hield zich slapende, in haar mand bij de kachel. Niet veel later reed een grote vrachtwagen voor. Sonja zag hem stoppen voor het huis toen ze zich in de vensterbank zat te wassen. Vier mannen stapten uit en ze droegen alle spullen weg uit het huis. Alles werd in de vrachtwagen geladen. Ook haar mand. Daarna reed de auto weg. Ook zij werd opgetild en meegenomen. Ze was te verbaasd om tegen te stribbelen. In de auto zat ze op schoot bij een baasje. Het was warm en ze viel in slaap. Ze werd wakker toen een autoportier hard dichtsloeg. Een baasje droeg haar een huis binnen. Het was een groot huis, leeg en koud. Alles was er wit. Voorzichtig sloop Sonja rond. De kamers door, de trap op. Een baasje riep haar naam, van boven. Ze klom nog hoger...'

Kras, kras.

Suzie verstijft in haar bed. Wat is dat?

'Oma,' fluistert ze, 'ik hoor wat beneden.'

Nu hoort ze het weer. Een woe-
dend gekrab, als van grijpen-
de klauwen. Steeds luider.
Een vampier misschien die
binnen probeert te komen?
Oma is gestopt met haar verhaal
en luistert.
'O ja, dat is de poes. Helemaal vergeten. Die moet ik nog binnenlaten.
Ik ben zo terug.'
Suzie hoort dat oma de trap afloopt, langzaam. Dan volgt het geluid van een deur die
opengaat en dan weer dicht. Een sleutel wordt
omgedraaid. Zolang Suzie de geluiden hoort, is ze
niet bang. Dan weet ze dat oma in huis is, bij haar,
dan is ze niet alleen. Ze ruikt oma's geurtje ook nog, dat

hangt in de kamer. Dan hoort ze oma de trap weer opstommelen.

'Zo, nou lekker slapen, schat.'

'Maar, oma, je moet het verhaal nog afmaken...'

'O ja, vergeten. Waar waren we gebleven?'

'Sonja liep de trap op...'

'Ja, steeds hoger, naar de zolder. Daar stond een baasje op haar te wachten. En wat ze daar allemaal zag! Haar oude mand met een heerlijke nieuwe wollige vacht erin, een grote dikke krabpaal, tunnels en gangen van buizen, speeltjes en een grote voerbak vol brokjes en een kleinere ernaast gevuld met sappige vis. Het was een prachtige plek. Nieuw en ergens anders, maar o zo mooi en fijn. Ze at het kleine bakje helemaal leeg, krabde aan de paal en strekte zich uit in haar mand. Ze draaide, knorde en viel daarna spinnend in slaap.'

Suzies ogen vallen dicht.

Suzie woelt in bed. Het laken klemt strak om haar benen en ze sjort aan de stugge katoen tot ze haar voeten weer vrij kan bewegen. Ergens slaat een klok. Twaalf keer. De slagen galmen na in de donkere slaapkamer. Daarna wordt het weer stil. Ze wrijft over haar ogen. Ze is wakker geworden, maar waarvan? Ze weet het eigenlijk niet. Maar nu ze toch wakker is, kan ze net zo goed even opstaan om wat water te gaan drinken. Het zachtrode schijnsel van het nachtlampje naast de deur wijst haar waar ze zijn moet. Slaperig hijst ze zich overeind. Een paar lange blonde haren die haar wang kriebelen, schuift ze naar achteren. Ze gaapt een keer hardop in de stilte en gooit haar benen over de bedrand. Net als ze op het punt staat haar voeten naast het bed te laten zakken, hoort ze het.

Een zacht smakkend geluid. Ze gaat rechtop zitten van schrik. Het geluid komt van heel dichtbij, nog een keer. De haartjes op haar arm schieten overeind, als de stekels van een egel.

Ergens in de kamer smakt iemand. Hoe kan dat? Ze slaapt alleen. Nou ja, alleen met Baloe. Dat is een groot geheim. Met negen jaar hoor je eigenlijk zonder knuffel te kunnen slapen. Dat kan ze ook heus wel, maar ze wil het gewoon niet. Haar teddybeer maakt geen smakkende geluiden, dat weet ze zeker. Er komt alleen een blatend 'beehhh' uit als ze hem op zijn kop houdt. Alsof het een schaap is. Maar de beer zit nu keurig op zijn kont, voelt ze, naast haar hoofd-kussen. Weer klinkt het gesmak, gevolgd door een lange zucht. Zou het een hongerige weerwolf zijn? Suzie zit doodstil, ze durft zich niet

te bewegen. Maar daar heeft ze al snel genoeg van. Ze krijgt kramp in haar bovenbenen van het omhooghouden van haar voeten. En het liefst zou ze nu keihard naar de kamer van haar ouders rennen om tussen hen in te duiken. Ja, dat is een goed plan. Hier blijven zitten, bij dat griezelige gesmak, daar heeft ze in ieder geval helemaal geen zin in. Ze strekt haar voeten langs het bed naar beneden en plant ze vastberaden op de vloer.

Met een ruk trekt ze haar tenen weer omhoog. Een diepe denkfrons rimpelt haar voorhoofd terwijl ze naar beneden tuurt. Koud zeil op de vloer. Sinds wanneer ligt er zeil op haar slaapkamervloer? Ze gunt zich geen tijd om daar lang over na te denken. Er zit een smakkende engerd op haar kamer en het is de allerhoogste tijd om ervandoor te gaan. Moedig laat ze haar voeten zakken en trekt een sprintje naar de deur. Ze rukt aan de klink en duwt de deur open. Het gele licht van de overloop valt in een brede straal de slaapkamer binnen. Angstig, met een hart dat bonkt als een stuiterballetje, kijkt ze achterom.

Het is een poes! Een stomme, dikke, zwarte poes. Die met een overdreven gesmak haar vacht aan het schoonlikken is. Op het voeteneinde van haar bed.

Maar ze heeft helemaal geen poes... hoe komt het dier daar dan terecht?

Er is iets heel erg mis. Er klopt niets meer van haar kamer. Slepende voetstappen naderen op de overloop. Haar maag lijkt te krimpen terwijl ze zich omdraait. Onder haar slaapshirt trillen haar benen. Een griezelige gedaante staat recht tegenover haar op de overloop. In een witte soepjurk, met lange warrige grijze haren rond het hoofd en zonder tanden.

'Kindje, kun je niet slapen?' vraagt het spook vriendelijk.

Opgelucht laat Suzie haar ingehouden adem los. O ja natuurlijk, ze logeert bij oma. Gelukkig, ze logeert bij oma. Nu was ze alweer bang voor niks!

De zon schijnt vrolijk op de ontbijttafel in de woonkamer. Oma schenkt thee in hun kopjes. De poes ligt aan Suzies voeten. De hele nacht heeft ze bij haar op bed geslapen. Dat mocht van oma, voor een keertje. Van haar moeder had dat vast nooit gemogen, een dier op bed.

'Heb je wel eens een boterham met pindakaas en honing en hagelslag gegeten?' vraagt oma.

'Wat? Allemaal tegelijk?' vraagt Suzie verbaasd.

'Jazeker, allemaal op elkaar. Eerst de pindakaas, dan de honing en dan de hagel erbovenop. Kijk, zo.'

Oma doet het voor. Het ziet eruit als een taartje, feestelijk en lekker.

'Nou jij,' zegt oma.

Suzie besmeert een witte boterham met boter en daarna volgen de andere lagen. Ze legt er een tweede boterham bovenop, klemt het brood tussen haar twee handen en neemt een hap.

'Mmmmmmm,' zeggen oma en Suzie tegelijk. Het klinkt als een liedje.

Buiten toetert een auto. Oma staat op en duwt de vitrage opzij.

'Je moeder is er. Blijf maar lekker zitten om je boterham op te eten. Ik zal een kopje koffie voor haar zetten.'

Oma schuifelt naar de voordeur, begroet Suzies moeder en loopt daarna door naar de keuken, om koffie te maken. Suzie zet juist haar tanden weer in de dikke boterham als haar moeder binnen-komt.

'Hoi schatje! Alle goed gegaan?' vraagt haar moeder en ze geeft Suzie een kus op haar haren.

'Ja, best,' antwoordt Suzie.

'Goh, jij eet anders toch altijd yoghurt 's ochtends?' vraagt haar moe-der verbaasd.

'Ja, maar dit is ook lekker. Iets anders dan anders kan ook heel lekker zijn.'

Terwijl ze het zegt, bedenkt ze zich opeens wat ze ermee bedoelt. Ze is ergens anders dan thuis, doet en eet iets anders dan thuis, maar ze voelt zich nu goed! Geen buikpijn meer.

'Zal ik je koffer even inpakken?' vraagt oma als ze binnenkomt met een kopje koffie voor Suzies moeder.

'Nee, dat doe ik zelf wel. Ik ben groot genoeg,' zegt Suzie.

Oma geeft haar, over de tafel heen, een brede glimlach en een dikke knipoog.

Bart Römer

JORIS EN HET BLAUWE SPOOK

Joris schrok wakker uit zijn slaap. Een schreeuw op zijn lippen, die hij nog maar net binnenhield achter zijn hand. Zijn andere hand wreef de slaap uit zijn ogen. Met gespitste oren ging Joris rechtop zitten in bed. Een hard gekraak, alsof iemand over losse planken liep, had hem gewekt uit zijn slaap. Een koude rilling trok over zijn ruggengraat. De volle maan scheen precies door zijn raam naar binnen en wierp schimmige schaduwen in de kamer. Joris herkende weinig van de spullen, want het was zijn eigen kamer niet. Van ergens ver weg klonk dansmuziek en gelach.

Het feest is dus nog niet afgelopen, dacht Joris. De vorige dag was hij met zijn ouders bij het hotel aangekomen. Met zijn hele familie trouwens. Andere gasten waren er niet dit weekend. Zijn ooms en tantes, neven en nichten, allemaal waren ze gekomen. En natuurlijk, zijn oma en opa. Zij waren immers de aanleiding voor het feest. Opa en oma waren vijftig jaar getrouwd. Joris kon zich niet goed voorstellen hoelang vijftig jaar wel niet was.

In vijftig jaar wordt een zaadje een volwassen boom, had zijn vader

gezegd. Of maak je van een stuk open zee nieuw land, waar je weer huizen kunt bouwen.

Joris had geknikt, maar om te zeggen dat hij nu helemaal begreep hoelang vijftig jaar was, nee, dat niet. Maar toch leuk dat zijn vader het had geprobeerd uit te leggen.

Het hotel leek op een kasteel, zo groot was het. Dat kwam omdat het vroeger ook een echt kasteel was geweest. Daarna een pakhuis, toen een kantoor en nu dus een hotel. Wel gaaf, slapen in een kasteel, had Joris gedacht. Toch bleek er ook een nadeel. Het hotel had een spook. Een blauw spook. Dat had de meneer die hun koffers naar boven bracht, aan zijn ouders verteld. De man had zachtjes gesproken, maar Joris had het toch duidelijk kunnen horen.

Het spook deed niet echt kwaad, vertelde de kofferman, maar gaf de gasten graag koude rillingen over hun rug en deed op de vreemdste momenten de deuren van de lift zomaar open en dicht. Dat was eigenlijk alles. Blauwe Gerrit heette het spook, vertelde hij als laatste. Toen het hotel nog een pakhuis was meer dan honderd jaar geleden, werd het lichaam van Gerrit gevonden in de oude waterput, die de hotelgasten tegenwoordig konden bekijken door een glazen plaat in de hal van het hotel. Dat had Joris inderdaad gedaan toen ze gisteren waren binnengekomen. Die put zag er diep en donker uit. Daar moest je niet invallen.

Gerrit was helemaal blauw geweest toen ze hem vonden, ging de kofferman verder. En kort daarna was hij begonnen te spoken. De laatste tijd echter, fluisterde de kofferman, zijn er een paar personeelsleden werkelijk aangevallen door Blauwe Gerrit. Mensen die plotseling struikelden op vreemde plekken, terwijl er niemand in de buurt was. Schalen met eten die zomaar door het restaurant vlogen, met daarachteraan een ober die wanhopig zijn evenwicht probeerde te hervinden. Heel vreemd allemaal. Laatst nog had een hotelgast zomaar ineens met een visschotel op haar schoot gezeten. Haar kleren waren helemaal bedorven. Geheimzinnig toch? Spookachtig.

Joris' ouders hadden beleefd maar ongeduldig geknikt, de man snel een fooi gegeven en hem de kamer uitgewerkt. Zodra hij de deur uit was, zeiden én vader én moeder tegen Joris dat het allemaal onzin was. Spoken bestaan niet. Dat was een verhaaltje om het hotel interessanter te maken. Daar moest Joris zich dus niets van aantrekken. Spoken bestaan niet, had zijn vader nogmaals nadrukkelijk gezegd. Zijn moeder knikte bevestigend met haar hoofd, terwijl ze Joris bezorgd aankeek. Joris had braaf geknikt, maar vanbinnen was hij

niet helemaal overtuigd. Soms zei vader als Joris van alles wilde weten en maar door bleef vragen over de maan en de sterren en over hoe computers werkten, met een wanhopige blik in zijn ogen: 'Joris, ik kan toch niet alles weten?' Misschien wist vader ook wel niets over spoken. Misschien was het wel waar wat die kofferman had gezegd. Zo'n volwassen man vertelde toch geen leugens?

's Avonds was het feest. Dat was gezellig geweest. Lekker eten en zoveel cola als hij maar op kon. Hij had de hele maaltijd moeten boeren. Als hij dat thuis deed, werd mama altijd boos, maar nu werd erom gelachen. Ook door mama. En er was vrolijke muziek. Iedereen danste. Ook zijn ouders, dat was best gek om te zien. Papa en mama die een beetje houterig deden met hun lichaam. Ze hadden plezier, lachten vrolijk, maar Joris schaamde zich toch een beetje voor dat gekke gedoe. Opa en oma hadden ook gedanst. Dat vond Joris wel leuk om te zien. Oma zweette ervan. Na die dans hadden ze elkaar een dikke kus gegeven onder luid applaus van iedereen in de zaal. Om half twaalf moest Joris naar bed. Zelf wilde hij nog niet, het was veel te gezellig, maar zijn moeder was onverbiddelijk. En zo lag Joris even later in zijn hotelbed onwennig te draaien en te woelen om uiteindelijk toch in slaap te vallen. Tot het moment van dat angstaanjagende gekraak.

Joris luisterde zo goed hij kon, maar hij hoorde niets meer. Geen gekraak, geen gepiep.

Mooi zo, dacht Joris ferm. Een blauw spook kan ik missen als kiespijn. Op dat moment trok er opnieuw een koude rilling over zijn rug.

Zou dat spook dan toch echt zijn? Nee, Joris voelde dat het wat anders was. Hij moest nodig plassen. En dat was ook een probleem: het toilet was op de kamer van zijn ouders, zijn kamertje had geen eigen wc. Joris zou de gang over moeten lopen naar de kamer van zijn ouders. Midden in de nacht, in het donker. Dat was eng. Zelfs zonder spook. Maar ja, in bed plassen was helemaal geen mogelijkheid. Hij was geen klein kind meer. Zachtjes deed Joris de deur naar de gang open. Waar was nu ook weer de kamer van zijn ouders? Naar rechts of naar links? Joris wist het niet meer. Wat had zijn moeder ook alweer gezegd? Hij wist het echt niet meer. Dan maar links, ja, naar links, daar was hun kamer. In het schemerduister schuifelde Joris voorzichtig over de houten vloer. Hoorde hij daar niet iets kraken? Joris stond stokstijf stil. Ingespannen luisterend. Nee, niets, hij had zich vergist. Hij schuifelde door. Daar was de deur al. Voorzichtig bewoog Joris de kruk naar beneden, maar er gebeurde niets. De deur zat op slot. Was hij dan toch de verkeerde kant opgelopen? Hij draaide zich om en tuurde door de duisternis naar de andere kant van de gang. Van opzij klonk er ineens een metalig geluid. Van schrik drukte Joris zich plat tegen de muur. Hield zijn adem in. Toen pas zag hij dat hij recht voor de lift stond. De deuren stonden wagenwijd open. Zou het blauwe spook dan toch...?

Joris bedacht zich dat er beneden in de hal een wc was en hij moest heel nodig. Snel stapte hij de lift in, de deuren gleden vanzelf dicht. De lift zoefde rustig naar beneden. Joris verwachtte van alles, keek gespannen rond, maar er gebeurde niets bijzonders. De lift stopte en de deuren gleden weer open. Behoedzaam stapte Joris de hal in. Het geluid van stemmen en muziek klonk hier wat luider. De feest-

zaal lag ergens beneden aan de achterkant van het hotel. Daar waren ook vader en moeder. Joris twijfelde even wat hij moest doen, maar de druk op zijn blaas was vervelend. Plassen, dat moest nu echt eerst. Gelukkig wist hij wel waar hier beneden de wc was. Hij had hem al een keertje gebruikt. Joris stapte naar voren, maar op de een of andere manier was de vloer verdwenen. Zijn voet zakte door de vloer heen en zijn lichaam viel er achteraan. Zijn armen maaiden door de lucht. De oude waterput, dacht Joris in een flits. De glazen plaat is eraf. En ik val erin! Straks lig ik op de bodem van die put en word ik ook een blauw spook! Hij wilde gillen, maar op dat moment greep iemand

zijn arm vast, een koude hand gleed over zijn mond en trok hem
naar achteren. Joris belandde hard op zijn achterste, naast de put.
Dat deed zeer aan zijn billen. Bijna had hij in zijn pyjamabroek
gepiest. Waarom was hij niet gewoon naar beneden gevallen?
Verbaasd keek hij rond in de donkere hal. Niemand te zien. Hij
begreep er niets van. Iemand had hem toch vastgegrepen? Waar was

die dan gebleven? In zijn ooghoek verscheen een blauwig schijnsel. Daar, boven aan de trap, een zacht blauw licht. Zonder verder na te denken, stond Joris op en holde de trap op. Achter het blauwe licht aan. Aan gevaar dacht hij helemaal niet. Aan plassen trouwens ook niet meer. Hij moest weten wat of wie dat was. Spook of geen spook. Hoe hoger Joris op de trap kwam, des te zwakker werd het blauwe schijnsel. Het leek zich terug te trekken in de duisternis. Joris was bijna boven. Zijn blik strak gericht op de afnemende blauwe gloed. Tot zijn grote schrik doemde er een zwarte massa recht voor zijn neus op. De donkere figuur gromde naar Joris. Van schrik zwaaide Joris met zijn armen in een afwerend gebaar en zijn vuist raakte per ongeluk iets hards. Het voelde... als een neus. Het zwarte monster gromde niet meer. Aan het eind van de gang zag Joris het blauwe schijnsel verdwijnen. Te laat. Die kreeg hij niet meer te pakken. Wat hoorde hij nou? Dat klonk niet meer dreigend of gevaarlijk, dat klonk zielig en verdrietig. Snikken?

'Gaat het?' vroeg Joris. 'Ik wilde je niet slaan hoor, dat ging per ongeluk. Omdat ik zo schrok.' Het snikken hield even op en een scherp licht knipte aan. Een zaklamp. Het licht onthulde een bleek jongenshoofd, iets ouder dan Joris zelf, met een streepje bloed uit zijn ene neusgat. Joris kende dat gezicht. Dat had hij eerder gezien. Gisteren, toen ze in het hotel aankwamen. Of niet? De jongen knikte. Ja, dat klopte. Hij had Joris ook gezien.

'Wie ben jij eigenlijk? En waarom spook jij 's nachts rond in het hotel?' vroeg Joris verbaasd.

'Ik heet Anton,' antwoordde de jongen, terwijl hij met de rug van zijn hand het bloed onder zijn neus vandaan veegde. 'Mijn vader is

de directeur van dit hotel.' Anton zweeg even, keek Joris even verdrietig aan en toen kwam zijn hele verhaal eruit. Anton was inderdaad het spook van het hotel. Hij had alle nare streken uitgehaald.
Obers laten struikelen, schoonmaaksters aan het schrikken
gemaakt. Joris wilde weten waarom Anton dat allemaal gedaan had.
Omdat hij niet naar kostschool wilde, was het antwoord. Zijn ouders
waren elke dag druk bezig met het hotel, met de gasten en eigenlijk
hadden zij te weinig tijd voor hem. Vooral zijn vader wilde hem naar
kostschool sturen, ergens buiten het dorp. En Anton wilde zo graag
hier naar school, vlak bij huis, bij zijn vader en moeder. Door te gaan
spoken hoopte hij dat er hotelgasten weg zouden blijven, zodat het
minder druk werd en zijn ouders meer tijd voor hem zouden hebben. Dan zouden ze het misschien goed vinden dat hij gewoon thuis
bleef. Ergens begreep Joris Anton wel, zelf zou hij ook niet graag bij
zijn ouders weg moeten een heel schooljaar lang, maar de glasplaat
van de waterput weghalen was wel heel gevaarlijk. Hij had wel dood
kunnen vallen. Net als Blauwe Gerrit. Anton keek Joris verbaasd aan.
Hij had helemaal niet aan die glasplaat gezeten. Hij zou niet durven.
En hij zou ook niet meer spoken. Kostschool was wel erg, maar een
ongeluk veroorzaken was helemaal erg. Dat zag hij nu wel in. Straks
brak er nog iemand een been of een arm.
Of een nek, dacht Joris. 'Je moet het gewoon tegen je ouders zeggen,' zei Joris. 'Misschien weten ze helemaal niet dat je kostschool
zo erg vindt. Dat kun je toch proberen?'
Anton knikte sip, ja, dat had hij inderdaad nog niet geprobeerd.
'Misschien lukt het,' zei hij, maar Anton klonk niet hoopvol.
'Anton, weet jij een wc hier?' vroeg Joris. 'Ik moet nogal nodig.' Met

een diepe zucht stond Anton op en zei: 'Kom maar mee. Het is hier vlakbij.'

De volgende ochtend zou de hele familie weer naar huis vertrekken. De koffers zaten al in de auto. Met een doffe klap deed vader de kofferbak dicht en moeder was al voorin gaan zitten. Joris stond nog in de hal te dralen, hopend dat hij Anton nog zou zien. Na de wc had Anton Joris weer naar zijn kamer gebracht en bij het afscheid had hij gezegd: 'Ik ga het tegen ze zeggen. Je hebt gelijk. Morgenochtend bij het ontbijt. Ja, dat ga ik doen.' Maar het leek erop dat het niet ging lukken. Geen Anton te zien. Maar net toen Joris naar buiten wilde lopen, verscheen Anton alsnog bovenaan de trap. Op zijn gezicht een brede lach.

'Ik hoef niet naar kostschool,' riep hij uitgelaten. 'Toen ze hoorden hoe erg ik kostschool vond, was het plan meteen van de baan. Ik mag hier naar school. Hartstikke bedankt, Joris.'

'Mag ik je ook bedanken, Joris,' sprak een zachte stem. Joris keek opzij en zag een man staan in ouderwetse kleding. Alsof hij naar een gekostumeerd bal ging. Verder kende hij de man niet. 'Dat mag u best,' zei Joris, 'maar ik weet niet waarom?'

'Omdat je mij hebt geholpen echte ongelukken te voorkomen en omdat ik nu weer het enige spook van het hotel ben.' De ogen van de man lichtten op met een blauw schijnsel.

'Blauwe Gerrit,' stamelde Joris ademloos.

'Zeg, kom je nog?' riep zijn vader van buiten. 'Met wie sta je daar nu toch zo te kletsen? Wil je niet naar huis ?'

'Jawel,' antwoordde Joris. 'Ik sprak met...' Hij keek de zijkamer in,

maar Blauwe Gerrit was verdwenen. '...ik nam nog even afscheid
van... van... Anton.'

'Anton? Wie is dat nu weer?' vroeg zijn vader verbaasd. 'Nou ja, vertel maar in de auto. Onderweg.'

Joris kroop op de achterbank en zijn vader reed haastig de oprijlaan
af. Joris keek achterom en zag Anton op het bordes staan. Hij zwaaide vrolijk. Achter het raam van de zijkamer stond Blauwe Gerrit. Ook
hij keek blij en zwaaide naar Joris, die lachend terugzwaaide. Naar
allebei.

'Hé pap,' zei Joris, 'spoken bestaan toch niet?'

'Nee jongen,' zei vader, 'spoken bestaan niet. Dat zijn allemaal verhaaltjes.'

Joris keek met een brede lach op zijn gezicht naar buiten. De bomen
suisden voorbij. Verhaaltjes, dacht hij. Misschien wel, maar misschien ook niet.

Mieke van Hooft

OE AAAHHH!

Ik ben het spook
met het witte laken.
Hoor je hoe mijn botten kraken?
Hoor je hoe mijn tanden klapperen?
Zie je hoe mijn handen wapperen?
Ik kan je pakken
wanneer ik zou willen.
Jij bent een bangerik,
jij zit te rillen.
Oe aaahhh!
Oe aaahhh!
Ha ha ha haaa!

Mensenkinderen, opgelet!
Kruip in de kast
of onder het bed.
Kruip achter de gordijnen

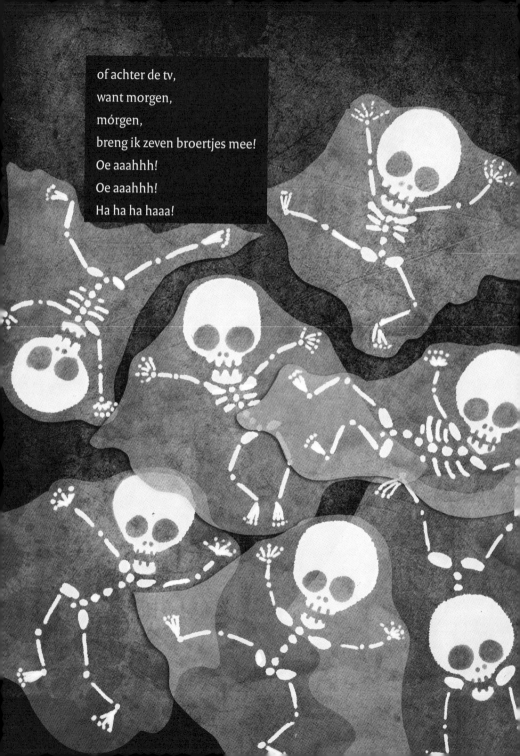

of achter de tv,
want morgen,
mórgen,
breng ik zeven broertjes mee!
Oe aaahhh!
Oe aaahhh!
Ha ha ha haaa!

Tosca Menten

HET ZOLDERSPOOK

Frank logeert bij oom Henk. Ze kijken samen een film. Opeens is het al zo laat dat oom Henk wil gaan slapen. 'En nu naar bed,' zegt hij.

Oom Henk heeft een oud huis, met houten vloeren en kromme deuren. Alles piept en kraakt, vooral als het stormt. Vanavond stormt het ook. Het huis kreunt zo hard dat het wel ziek lijkt.

Frank loopt achter oom Henk aan de trap op. Aan de ene kant van de zolder is de slaapkamer van oom Henk, aan de andere kant de logeerkamer. Frank poetst zijn tanden en stapt in bed.

'Nou, tot morgen dan. Slaap lekker,' zegt oom Henk. Hij loopt naar de deur. Een windvlaag doet het raam trillen.

'Wacht even,' zegt Frank vlug. 'Ik hoor allemaal vreemde geluiden.'

Oom Henk houdt zijn hoofd schuin. 'Wat hoor je dan allemaal?'

'Daar, boven mijn hoofd, het kraakt,' zegt Frank.

'O, dat is gewoon mijn oude dak.'

'Kan het dan instorten?' vraagt Frank ongerust.

'Nee, de zolder is van hout, en hout kraakt altijd. Maar dat is ongevaarlijk. Dit huis ademt,' zegt oom Henk.

Frank schrikt. Het huis ademt? 'Leeft het dan?' vraagt hij.

'Nee, dat is alleen maar een uitdrukking. Nou, welterusten.'

'Stop, wacht even. En dat enge getik?'

'Dat is regen op de pannen. Daar kun je juist lekker op slapen.'

'Ik niet. Ik vind het eng.'

'Regen is gewoon water. En water doet niks.'

Frank gaat liggen maar komt meteen weer overeind.

'En die piepende muis dan?'

'Ik hoor geen piepende muis.'

'Ik ook niet. Maar dat komt omdat hij nog slaapt. Straks wordt hij wakker en dan komt hij eraan! Oom Henk, ik ben bang voor muizen!'

Oom Henk schiet in de lach.

'Er zijn hier geen slapende muizen. Er zijn geen slapende monsters en er zijn geen slapende spoken. Geloof je me niet?'

Frank zegt niks.

'Oké. Loop eens mee.'

Samen lopen ze de hele zolder door. Oom Henk doet alle kasten open en samen gluren ze in alle hoekjes.

Er is nergens iets te bekennen.

'Alles zit dicht en is op slot. Is het dan zo goed?' vraagt oom Henk.

Frank knikt. Hij wil eigenlijk zeggen dat een spook gewoon door de muren kan. En een monster kan dat misschien ook. Maar dat vindt oom Henk vast kinderachtig. 'Die geluiden, ik moet nog even wennen,' zegt hij kleintjes.

'Geeft niet,' zegt oom Henk. 'Ik ben vlakbij. Als er iets is, moet je maar roepen.'

'Wat kan er dan zijn?'

'Niks,' zegt oom Henk. Hij aait Frank over zijn hoofd. 'Ga maar lekker slapen. Ik lig in de kamer hiernaast en ik laat de deuren op een kier staan. Of wil je naar huis?'

'Nee,' zegt Frank.

Oom Henk doet het licht uit, gaat naar zijn eigen slaapkamer en dan is Frank alleen.

Het is nu helemaal donker.

Frank luistert met open ogen naar alle logeergeluiden. Die klinken in het donker nog veel harder.

Boven zijn hoofd kraakt de levende zolder.

'Kraken is niet eng,' fluistert Frank tegen zichzelf.

De regen tikt.

'Water is ook niet eng.'

Er piepen geen muizen.

'Omdat er geen muizen zijn!'

O, was hij nou toch maar thuis! Hoe kan hij zo nou slapen? Logeren bij oom Henk is alleen overdag leuk. Maar logeren is ook 's nachts, anders heet het gewoon visite.

Frank draait zich om en stopt zijn hoofd onder zijn kussen. Pff, dat is te warm. Hij steekt zijn hoofd onder het kussen uit. Dan hoort hij die geluiden weer. Dan maar weer eronder. Erboven. Eronder. Dan valt hij toch in slaap.

Midden in de nacht wordt Frank wakker. Hij doet zijn ogen open. Heeft hij iets gehoord?

Pffbr! Grrr! Brrft! klinkt het. Frank schrikt zich rot. Dat klinkt niet als
een zolder. En ook niet als regen. En het is zeker geen muis.
Dat klinkt als een... *Pffbr! Grrr! Brrft!* ...een monster! Een blazend
spook! Iets met grote handen! Met ijzeren kaken met knarsende tan-
den! Of het levende huis is boos!
Pffbr! Grrr! Brrft! Pffbr! Grrr! Brrft!
'Oom Henk! Oom Henk!'
Oom Henk hoort hem niet. Voorzichtig stapt Frank uit bed en luis-

tert aan de deur. *Pffbr! Grrr! Brrft!* Met bonkend hart duwt hij de deur iets verder open. Als hij niks ziet, rent hij vliegensvlug naar de kamer van oom Henk.

'Oom Henk! Oom Henk! Ik hoor iets!'

'Huh? Wat?' mompelt oom Henk.

'Ik hoor iets. Iets engs!'

'O. Nou. Dat is vast de zolder, die kraakt,' zegt oom Henk slaperig.

'Nee, het is iets anders.'

'Dan is het de regen die tikt.'

'Nee nee. Ik hoor iets engs. Een inbreker misschien. Of een... monster.'

Oom Henk komt overeind. Hij houdt zijn hoofd schuin en luistert.

'Ik hoor niks.'

'Nee,' fluistert Frank. 'Ik ook niet meer.'

'Zie je wel, er is niets,' zegt oom Henk. Hij stapt uit bed, loopt met Frank mee naar zijn kamer en stopt hem in. 'Maak je nou maar geen zorgen. Ik laat mijn deur open. Tot morgen.'

Hij verdwijnt en Frank doet zijn ogen dicht. Maar het duurt niet lang of het geluid is er weer. *Pffbr! Grrr! Brrft! Pffbr! Grrr! Brrft!*

'Oom Henk! Oom Henk!' schreeuwt hij keihard.

'Jaaaa?' klinkt de stem van oom Henk.

'Ik hoor het weer, dat geluid!'

Slaapdronken komt oom Henk zijn kamer weer in.

'Wat hoor je dan?'

'Eh, niks. Het is weer weg,' zegt Frank.

'Hoe kan dat nou,' zegt oom Henk.

'Het is er echt. Maar als jij er bent, is het weg.'

'Hoe klinkt het dan?' vraagt oom Henk ongeduldig.

'Het klinkt pffbr en brrft en het is heel eng,' jammert Frank.

'Ik hoor geen pffbr en ook geen brpff. Ik hoor niks,' zegt oom Henk.

Frank begint te huilen. 'Ik ben bang! Er is hier een monster. Of iets anders. Iedere keer als jij weg bent, komt hij tevoorschijn. Straks gaat hij me opeten!'

Oom Henk zucht.

'Goed, goed, stil maar,' zegt hij. 'Ik kom wel bij je liggen. Dan wachten we samen op het monster. En als hij komt, jaag ik hem de zolder af.'

Oom Henk sleept zijn matras naar Franks kamer. Hij haalt zijn kussen en dekens en gaat liggen.

'Blijf je wakker tot ik slaap?' smeekt Frank.

'Ik zal het proberen,' zegt oom Henk. 'Welterusten.'

Frank luistert en luistert.

'Hoor je hem al?' mompelt oom Henk.

'Nee,' zegt Frank. Hij ligt met zijn hoofd onder de lakens maar hij houdt zijn oren goed open. Eigenlijk hoopt hij dat het geluid nu komt. Dan hoort oom Henk het ook. Of zou het monster niet durven komen als oom Henk er is?

Ineens staan zijn haren recht overeind. Daar is het weer! Veel dichterbij dan net. *Pffbr! Grrr! Brrft!* Het is zo dichtbij, dat hij zich haast niet durft te bewegen. En er komt geen geluid uit zijn keel! Heel voorzichtig trekt hij zijn laken een stukje naar beneden en gluurt erlangs. Oom Henk slaapt. Zijn mond gaat open en dicht. *'Pffbr! Grrr! Brrft!'* doet hij.

Pffbr! Grrr! Brrft? Frank gooit de dekens van zich af. 'Oom Henk! Oom Henk. Wakker worden!' roept hij.

Oom Henk schiet overeind.

'Hè? Wat? Waar is het monster?'

'In jouw bed!' roept Frank. 'Jíj bent het monster. Jij snurkt *Pffbr! Grrr! Brrft!*, met je mond open!'

Oom Henk schudt verbaasd zijn hoofd. Dan begint hij ook te lachen.

'Asjemenou. Dus ík ben het monster. Nou, dan hoef je ook niet meer bang te zijn, want ik doe je niks. Gelukkig, dan kunnen we eindelijk slapen.'

Frank gaat rechtop zitten.

'Nee! Ik vind al die geluiden nog steeds eng!' klaagt hij. 'En ik kan ook niet slapen met die snurkherrie!'

Oom Henk zucht diep. Hij krabt op zijn hoofd en zucht nog een keer. 'Wacht,' zegt hij dan. Hij gaat weg en komt terug met een paar oorwarmers en zet die over Franks oren. 'Hier. Nu hoor je niks meer. Geen gekraak en geen getik en gepiep en ook geen gesnurk.'

'Wat zeg je!?' roept Frank.

'Dat je niks meer hoort!' roept oom Henk.

Frank gaat liggen en trekt de dekens hoog over zich heen.

'Lekker stil! Ik denk dat ik nu wel kan slapen! Welterusten oom Henk! Tot morgen!'

Marianne Busser & Ron Schröder

HET SPOOKHUIS

Mijn opa heeft een spookhuis op de kermis
en soms ga ik een dagje naar hem toe
dan mag ik hem gezellig komen helpen
en weet je al wat ik daar zoal doe?

Ik sluip zodra er mensen binnenkomen
heel zachtjes op mijn sloffen naar ze toe
en als ze daar wat lopen rond te dromen
dan roep ik onverwacht echt keihard: BOE!

Dan spuit ik straaltjes water in hun nekken
of brul ontzettend hard een monsterlied
en soms dan mag ik aan het touwtje trekken
waardoor een vleermuis door de ruimte schiet.

Ik zorg ook vaak voor enge spookgeluiden
of het brullen van een tijger of een leeuw
en laat ik dan een rat naar binnen lopen
dan hoor je na drie tellen al geschreeuw.

En kijk ik met mijn opa naar de mensen
die bibberend weer naar de uitgang gaan
dan zegt mijn opa trots: moet je eens kijken
wat heb je dat weer meesterlijk gedaan!

Pieter Feller

PANNENKOEKEN MET SPEK

Jules' ouders Wim en Annette zijn gescheiden, maar elke veertien dagen haalt Wim Jules op. Dan gaan ze leuke dingen doen. Naar een pretpark of een dierentuin.

'Ik heb voor vandaag eens wat anders bedacht,' zegt Wim. 'Ik heb een tentje gekocht. We gaan twee dagen kamperen op de Veluwe.'

'Wow wat leuk, papa!' roept Jules.

'Ik heb ook nog een cadeautje voor je.'

Jules trekt het pakje open. 'Een camouflagepet! Gaaf zeg!'

'Ik heb er ook een voor mezelf gekocht.'

Ze zetten hem allebei op. 'We lijken wel soldaten, pap.'

Ze hebben een fantastische dag samen en het is al ver na zevenen als ze in de auto stappen om ergens te gaan eten.

'Waar rijden we heen?' vraagt Jules.

'Ik heb het adres van een heel leuk pannenkoekenhuis,' antwoordt Wim.

'Ha, lekker pannenkoeken!'

'Het ligt midden in het bos en 's avonds kun je er allerlei dieren tegenkomen zoals konijnen en herten.'

Het is nog een behoorlijk eind rijden. Eerst over een klinkerweg en dan over een zandpaadje het bos in. Daar is een parkeerplaats voor de auto's. De parkeerplaats ligt een eindje van het pannenkoekenhuis af. Over een smal bospad lopen ze erheen.

'We zijn toch niet te laat?' vraagt Jules ongerust. 'Het is hier zo stil.'

'Welnee, jongen.'

'Kijk, een konijntje,' fluistert Jules.

'Ik zei toch dat er dieren in het bos zitten.'

Tussen de bomen horen ze geritsel.

'Wat is dat?'

'O, dat zullen de herten wel zijn.'

Ze lopen verder.

'Daar is het al,' zegt Wim blij. Hij wrijft in zijn handen. 'Ik heb zo'n trek in pannenkoeken met spek.'

Uit het bos klinkt geknor. Het is zo zacht dat Wim en Jules het niet horen.

'Wat ziet het er donker uit,' zegt Jules somber.

Wim haalt zijn schouders op. 'Ze zullen de lichten zo wel aandoen.'

Voor het pannenkoekenhuis is een terras, maar de tafels en stoelen zijn opgestapeld. Wim loopt naar de ingang. Hij pakt de deurknop beet en rammelt eraan.

'Dicht,' mompelt hij.

'Papa, kom eens,' zegt Jules. 'Er staat hier iets op een papier geschreven.'

In een kastje naast de deur hangt een vel vastgeprikt over de menukaart. WEGENS OMSTANDIGHEDEN GESLOTEN staat erop.

Wim zucht. 'Wat een pech. Ik vond het al zo gek dat er geen andere auto's op de parkeerplaats stonden.'

'Wat doen we nu?' vraagt Jules.

'We gaan een ander pannenkoekenhuis zoeken. Kom mee.'

Jules draait zich om en schrikt. 'Wat is dat, papa?' Hij wijst met een beverig handje naar een donkere vlek op het pad waar ze zojuist nog liepen.

'Dat is een eh... een wild zwijn.'

Er hobbelen ook nog wat gestreepte biggen het bos uit.

'Een moeder met kinderen dus,' zegt Wim.

'Wat lief, zeg.' Jules wil ernaartoe lopen, maar Wim houdt hem tegen.

'Niet doen. Zeugen met biggen kunnen heel agressief zijn, omdat ze hun jongen willen beschermen.'

'Wat doen we nu, papa? Wij moeten daarlangs om bij de auto te komen.'

'We wachten even. Ze lopen zo meteen wel verder.'

Het zwijn heeft haar snuit in de grond gestoken en begint te wroeten.

'Kun je dat beest niet wegjagen, pap?' vraagt Jules na een kwartier. Het begint intussen al behoorlijk schemerig te worden en hij heeft erge honger.

'Ja, natuurlijk. Je denkt toch niet dat ik bang ben voor een zwijntje?' Wim pakt een stoel van een stapel. Dan loopt hij dapper in de richting van het zwijn met de stoel voor zich uit. De biggen beginnen luid te knorren als ze doorhebben dat er iemand op hen afkomt.

'Ksst, ksst!' roept Wim.

De biggen rennen het bos in, maar de moeder blijft staan. Dan klinkt er plotseling luid gekraak van takken. Uit het bos komt een heel groot zwijn gestormd. Zijn slagtanden blikkeren vervaarlijk. Wim schrikt zich een ongeluk en loopt snel achteruit naar het terras. Met de stoel houdt hij het zwijn van zich af. Als hij bij het terras komt, keert het beest zich gelukkig om. Het loopt op zijn gemak naar het vrouwtje toe. Ze knorren.

'Dat is een beer,' zegt Wim.

'Het is toch een wild zwijn?'

'Een mannetje wordt een beer genoemd.'

Jules knikt. 'Wat doen we nu?'

'Tja.'

Dan schrikken ze op van nog meer gekraak. Van links en rechts komen andere zwijnen het bos uit. Ze kijken eerst naar Wim en Jules, steken dan hun snuiten in de grond en beginnen te wroeten.

'Wat zoeken ze, papa?'

'Wortels, knollen en wormen.'

'Die zitten hier zeker veel in de grond.'

'Ik denk het.'

Ze knorren en piepen en duwen tegen elkaar. Uit het bos komen er nog meer. Langzaam komt de kudde zwijnen dichterbij.

'Help me even,' zegt Wim. 'We kantelen een tafel. Daar gaan we achter staan, dan kunnen ze niet bij ons komen.'

'Papa, ik vind dit eng, waarom bel je de politie niet?'

'Een, een, twee bedoel je? Misschien wel het beste. Alleen...'

'Wat?'

'Mijn mobiel ligt in de auto. Ik wilde niet gestoord worden tijdens het eten. Ik heb alleen mijn portemonnee meegenomen.'

'Bied ze wat geld,' grapt Jules. 'Misschien gaan ze dan weg.'

'Ha, ha,' lacht Wim zuur. 'We zullen moeten wachten tot ze vanzelf ophoepelen.'

Jules begint de beesten te tellen. Bij vijftig houdt hij op. Het is een behoorlijke kudde. Sommige zijn het terras nu heel dicht genaderd.

'We moeten er nog wat tafels bijhalen,' zegt Wim. 'Dan maken we een fort. Nu zijn we echte soldaten.'

'Met echte camouflagepetten, papa.'

Vlug slepen ze zes tafels aan en zetten die op hun kant. Ze zetten ook twee stoelen neer en gaan zitten. Nu zijn ze aan alle kanten beschermd.

'Papa, jij hebt met kerst toch wildzwijnbiefstuk met paddenstoelen gegeten?'

Jules heeft het nog niet gezegd of de zwijnen beginnen harder te

knorren. Hun oogjes schitteren kwaadaardig in het licht van de maan die intussen aan de hemel is verschenen.

'Dat had je beter niet kunnen zeggen.'

'Die zwijnen kunnen ons toch niet verstaan?'

'Nee, natuurlijk niet,' zegt Wim onzeker.

Ze zwijgen een tijdje en kijken naar de zwijnen die nu zo dichtbij zijn dat ze aan de tafels snuffelen.

'Pap?'

'Ja?'

'Waarom ben je niet vegetarisch gaan eten, net als mama en ik?'

'Ik hou nu eenmaal erg van vlees.'

Jules knikt. 'Spek komt toch ook van een varken?'

Bij het woord spek beginnen de zwijnen opgewonden te snuiven door hun platte neuzen. Ze dringen als een leger naar voren en beginnen met hun koppen tegen de tafels te duwen. Hun slagtanden maken krassen in de lak.

'Hou nou je kop eens, Jules!' zegt Wim nijdig.

Jules begint te huilen.

'Sorry, het spijt me,' zegt Wim. 'Dat had ik niet moeten zeggen.'

Jules veegt zijn tranen weg. 'Ze ne-hemen wraak,' snikt hij.

Wim glimlacht bitter.

'Ze nemen wraak omdat jij zo gek bent op varkensvlees.'

'Doe niet zo gek, Jules.'

Intussen worden de zwijnen steeds wilder. Ze porren met hun snuiten nog harder tegen de tafels. Ze knorren en piepen angstaanjagend. Jules herkent het geluid. Hij heeft eens een filmpje gezien waarin varkens een veewagen werden ingewerkt. Die varkens krijsten ook zo. Het leken wel doodskreten.

'Ze gaan ons doodmaken, papa!' gilt hij.

Er ontstaan kieren tussen de tafels. Zwijnensnuiten komen gevaar-lijk dichtbij. Wim moet heen en weer rennen om de tafels tegen elkaar te duwen. Jules kijkt verstijfd van angst toe.

'Help dan toch, Jules!' Wanhopig kijkt Wim om zich heen. Dan valt zijn oog op het afdak boven het terras.

De zwijnen knorren nu zo hard dat het op gillen lijkt. Ze ruiken bloed. Wim schudt Jules door elkaar. 'Hou je hoofd erbij,' roept hij. 'We klimmen op het afdak, daar zijn we veilig.' Hij gaat op een stoel staan, trekt Jules omhoog en tilt hem op. Jules' handen graaien naar de rand van het afdak. Als hij die beet heeft, pakt Wim zijn schoenen en duwt hem omhoog.

'Kom snel!' schreeuwt Jules vanaf het dak. Zijn stem komt amper boven het afgrijselijke gekrijs van de zwijnen uit.

Wim gaat op zijn tenen staan. Hij kan net niet bij de dakrand. Hij zal moeten springen, maar als hij misgrijpt... Het is de zwijnen gelukt om de tafels zover uit elkaar te duwen dat ze ertussendoor kunnen glippen. De eerste springt al tegen de stoel op. Een slagtand haakt in Wims broek, die scheurt. Jules' ogen puilen bijna uit zijn hoofd van angst. Wim buigt door zijn knieën. Er duwen nu meerdere zwijnen tegen de stoel, die begint te wiebelen. Dan, met een grote krachtsin-spanning, springt Wim omhoog en grijpt de rand van het afdak. Hij zwaait een been omhoog. Jules trekt eraan. Langzaam schuift hij het dak op, terwijl de zwijnen beneden kwaadaardig knorren en sprin-gen en als bulldozers met hun neuzen over de grond duwen en aarde in de lucht gooien.

'Gered,' verzucht Wim als hij eindelijk hijgend op het afdak ligt.

Jules begint van de zenuwen te grinniken. 'Wat een stoere soldaten zijn we, hè?'

Wim kijkt naar zijn kapotte broek. Een slagtand heeft zijn huid geraakt en er stroomt bloed uit de wond. Hij bindt er een zakdoek om. Dan strompelt hij naar de andere kant van het dak. Ook aan de achterkant wemelt het van de zwijnen.

Uitgeput gaan ze op hun rug op het schuine dak liggen.

'Pas op dat je er niet afrolt,' waarschuwt Wim vlak voordat hij uitge-put in slaap valt. Even later slaapt Jules ook.

Als hij wakker wordt van de eerste zonnestralen die op zijn huid prik-ken, weet hij eerst niet waar hij is. Dan herinnert hij zich de wilde zwijnen.

'Papa?'

Hij kijkt verwilderd om zich heen. Waar is zijn vader? Angstig gluurt hij over de rand van het dak. Alle zwijnen zijn weg en het is doodstil in het bos. Hij gaat op het dak staan en zet zijn handen aan zijn mond.

'Papa! Papa, waar ben je?'

Geen antwoord. Jules ziet wel iets. Midden op het omgewoelde veld ligt de nieuwe camouflagepet van Wim. Verder is er van zijn vader geen spoor te bekennen.

Lees ook: **Eindelijk vakantie!**

Met schitterende
illustraties van
Natascha Stenvert

Eindelijk vakantie! is een heerlijke bundel boordevol spannende, rare, gekke en
bijzondere vakantieverhalen en -gedichten van Inge de Bie, Annemarie Bon,
Stefan Boonen, Marianne Busser & Ron Schröder, Pieter Feller, Annie van Gansewinkel,
Loes Hazelaar, Mieke van Hooft, Tosca Menten, Stijn Moekaars, Mirjam Mous en
Wilbert van der Steen. Om lekker na het zwemmen, hutten bouwen, voetballen of spelletjes
spelen te lezen. Of om door vader, moeder, opa of oma uit voorgelezen te worden.

ISBN 978 90 443 2295 8